C

D1545161

# NEGRO MYTHS
## FROM THE GEORGIA COAST

*TOLD IN THE VERNACULAR*

BY

CHARLES C. JONES, Jr., LL. D.

BOSTON AND NEW YORK
HOUGHTON, MIFFLIN AND COMPANY
1888
*Detroit: Reissued by Singing Tree Press, Book Tower, 1969*

Library of Congress Catalog Card Number 68-21779

IN MEMORY

OF

## MONTE VIDEO PLANTATION,

AND OF THE

## FAMILY SERVANTS

WHOSE FIDELITY AND AFFECTION CONTRIBUTED SO

MATERIALLY TO ITS COMFORT AND

HAPPINESS.

# PREFATORY NOTE.

Mr. Joel Chandler Harris has, in an admirable way, commended to public notice the dialect and folk-lore in vogue among the negroes of Middle Georgia. With fidelity and cleverness has he perpetuated the legends and songs once current among these peoples, and now fast lapsing into oblivion. There is, however, a field, largely untrodden, in which may be found ample opportunity for the exhibition of kindred inquiry and humor. We refer to the swamp-region of Georgia and the Carolinas, where the lingo of the rice-field and the sea-island negroes is *sui generis*, and where myths and fanciful stories, often repeated before the war, and now seldom heard save during the gayer moods of the old plantation darkies, materially differ from those narrated by the sable dwellers in the interior.

In confirmation of this suggestion we record the following Negro Myths from the Georgia Coast.

AUGUSTA, GEO., *March*, 1888.

# CONTENTS.

# NEGRO MYTHS.

## I.

### HOW COME BUH ALLIGATUR NEBBER SLEEP FUR FROM DE RIBBER BANK.

ONE time Buh Rabbit, him meet Buh Alligatur, an eh ax um: "Budder, you tek life berry onconsarne. Enty you come pon trouble some time?" Buh Alligatur, him mek answer: "No, Budder, nuttne nebber bodder me. Me dunno wuh you call trouble. Me hab plenty er bittle fuh eat. Me sleep an tek me pledjuh. Wuh mek you tink trouble kin come topper me?" Buh Rabbit, him berry cunnin. Eh yent say nuttne. Eh know Buh Alligatur blan come out de ribber an sun isself in de broom-grass fiel. Buh Rabbit, eh laugh oneside to isself an mek plan to pit trouble on Buh Alligatur.

De nex day, wen de sun hot, Buh Alligatur come out de ribber. Eh so full er fish an crab eh casely kin crawl. Eh drag isself

trugh de mash, an eh gone in de broom-grass
fiel, and tretch isself in de grass, an fall fas
tersleep. Buh Rabbit bin der watch um all
de time. Buh Rabbit too scheemy. Now
eh pick eh chance. Wen eh tink Buh Alli-
gatur done gone tersleep, eh tiptoe ebber so
sofe tell eh come right pon top er Buh Alli-
gatur. Eh notice um close. Eh yeye shet.
Eh duh sleep fuh true. Den Buh Rabbit slip
back. Eh say to isself: "I guine mek Buh
Alligatur know wuh call trouble dis day."
Eh trike fire. Eh light one fat pine tick,
an eh set fire to de broom-grass all roun an
roun de fiel. Buh Alligatur, eh day in de
middle fas tersleep. Eh dunno wuh Buh
Rabbit up teh. Bimeby de fire, eh biggin
fuh roll. Buh Alligatur wake up. Eh see
de smoke. Eh yeddy de fire duh commin.
Eh dunno wuh fur do. De fire biggin fur
bun um. Eh run dis way, de fire meet um.
Eh lick back an try tarruh side. De fire
meet um day too.

Buh Rabbit, him duh tan off duh watch
an duh half kill isself wid laugh. Buh
Alligatur holler. Eh holler. Eh holler.
Nobody yeddy. Nobody come. Fire ebry
side. No way fur um fur go. Eh cant git
out. Man! sir! eh mek up eh mine to bus

trugh some how. Eh shet eh yeye. Eh cock up eh tail, an yuh eh come straight fur de ribber.

Buh Rabbit, eh fall fur laugh. Eh hoop arter Buh Alligatur, an eh say: "Hey, Budder! wats de time er day? Enty you bin tell me you nebber meet up wid trouble? You run topper um to-day anyhow."

Buh Alligatur yent hab time fuh mek answer. Eh yent crack eh teet to Buh Rabbit. Eh jis is bex wid um is eh kin be. Eh yeye red. Eh tail swinge. Eh gone fuh de ribber, an eh fall in head ober heel. De water cool um. Eh ketch eh bref. Den eh raise isself on de top er de water an eh holler back to Buh Rabbit: "Nummine, Boy, golong dis time. Me know who mek all dis trouble fur me. Ef me ebber ketch you close dis ribber, me guine larne you how ter come fool long me."

Buh Rabbit faid Alligatur an ribber tell dis day. From dat day to dis you kin nebber ketch Buh Alligatur sleep fur from de bank; an de fus time eh yeddy bush crack, er anyting mek rackit, eh leggo eberyting an fall right in de water.

## II.

### BUH TUKREY BUZZUD AN DE RAIN.

Buh Tukrey Buzzud, him yent hab no sense no how. You watch um.

Wen de rain duh po down, eh set on de fench an eh squinch up isself. Eh draw in eh neck, an eh try fur hide eh head, an eh look dat pittyful you rale sorry for um. Eh duh half cry, an eh say to isself: "Nummine, wen dis rain ober me guine buil house right off. Me yent guine leh dis rain lick me dis way no mo."

Wen de rain done gone, an de win blow, an de sun shine, wuh Buh Tukrey Buzzud do? Eh set on de top er de dead pine tree way de sun kin wam um, an eh tretch out eh wing, an eh tun roun an roun so de win kin dry eh fedder, an eh laugh to isself, an eh say: "Dis rain done ober. Eh yent guine rain no mo. No use fur me fuh buil house now." Caless man dis like Buh Tukrey Buzzud.

## III.

### HOW BUH COOTER [1] FOOL BUH DEER.

Buh Deer, him kin outrun all de tarruh creetur. Buh Cooter, him cant go fast no time. Him kin jis creep, an dat all; but him hab plenty er sense.

One day Buh Deer bin a laugh at Buh Cooter becase eh walk so slow. Den Buh Cooter, him git mad, an eh tell Buh Deer dat ef eh does slow eh hab de bes win, an eh bet Buh Deer eh could beat um to de fibe mile pose. Buh Deer, him smile an tuk de bet. Dey gree on nex Monday week fur run de race.

Buh Cooter, him call togedder him fren an tole um bout de bet an wen de race fur run. Eh gaged fibe er um fur help um. Deese yer Cooter am all so much like one anurrer you cant tell one from turrer. So day all come inter cohoot an conclude to fool Buh Deer.

One gone to de fus mile pose on de big road. Anurrer gone to de nex mile pose, an anurrer to de nex: so dat on de day wen de race fur run, Buh Cooter hab a fren at

[1] Land Terrapin.

ebery mile pose. Buh Deer nebber bin
know nuttne bout dis plan.

Wen de time come fur run de race, Buh
Deer an Buh Cooter bofe stat off togedder.
Befo you kin tun roun Buh Deer done gone
out uh sight, an lef Buh Cooter in de
middle er de road duh laugh to isself. Wen
Buh Deer git to de fus mile pose, day was
Buh Cooter day head er um. Buh Deer
couldnt tell how dat happn. Eh men eh
pace. At de nex mile pose day was Buh
Cooter a crawlin along. Buh Deer git mad.
Eh lay isself out ter eh berry lenk, but befo
eh ketch de nex mile pose eh meet Buh
Cooter in de road dis a passin er dat pose.
Buh Deer jump clean ober um an mek fur de
nex mile pose. Eh yent bin want fur bleeve
eh own yeye wen eh see Buh Cooter dere
done git head er um agin. Eh so mad eh
try fuh kick Buh Cooter outer de road, an
eh straighten fur de las mile pose. Wen
eh git day, eh meet Buh Cooter puffin an er
blowin an a leanin up gin de pose duh laugh
at um.

An dat de way Buh Cooter fool Buh Deer
an win de bet.

## IV.

BUH WOLF, BUH RABBIT, AN DE TAR BABY.

Buh Wolf and Buh Rabbit, dem bin lib nabur. De dry drout come. Ebry ting stew up. Water scace. Buh Wolf dig one spring fuh him fuh git water. Buh Rabbit, him too lazy an too scheemy fuh wuk fuh isself. Eh pen pon lib off tarruh people. Ebry day, wen Buh Wolf yent duh watch um, eh slip to Buh Wolf spring, an eh full him calabash long water an cah um to eh house fuh cook long and fuh drink. Buh Wolf see Buh Rabbit track, but eh couldnt ketch um duh tief de water.

One day eh meet Buh Rabbit in de big road, an eh ax um how eh mek out fur water. Buh Rabbit say him no casion fuh hunt water : him lib off de jew on de grass. Buh Wolf quire : " Enty you blan tek water outer me spring ? " Buh Rabbit say : " Me yent." Buh Wolf say : " You yis, enty me see you track ? " Buh Rabbit mek answer : " Yent me gone to you spring. Must be some edder rabbit. Me nebber bin nigh you spring. Me dunno way you spring day." Buh Wolf no question um no mo;

but eh know say eh bin Buh Rabbit fuh
true, an eh fix plan fuh ketch um.

De same ebenin eh mek Tar Baby, an eh
gone an set um right in de middle er de
trail wuh lead to de spring, an dist in front
er de spring.

Soon a mornin Buh Rabbit rise an tun in
fuh cook eh bittle. Eh pot biggin fuh bun.
Buh Rabbit say: "Hey! me pot duh bun.
Lemme slip to Buh Wolf spring an git some
water fuh cool um." So eh tek eh calabash
an hop off fuh de spring. Wen eh ketch
de spring, eh see de Tar Baby duh tan dist
een front er de spring. Eh stonish. Eh
stop. Eh come close. Eh look at um. Eh
wait fur um fuh mobe. De Tar Baby yent
notice um. Eh yent wink eh yeye. Eh
yent say nuttne. Eh yent mobe. Buh
Rabbit, him say: "Hey titter, enty you
guine tan one side an lemme git some
water?" De Tar Baby no answer. Den
Buh Rabbit say: "Leely Gal, mobe, me tell
you, so me kin dip some water outer de
spring long me calabash." De Tar Baby
wunt mobe. Buh Rabbit say: "Enty you
know me pot duh bun? Enty you know me
hurry? Enty you yeddy me tell you fuh
mobe? You see dis han? Ef you dont go

long and lemme git some water, me guine
slap you ober." De Tar Baby stan day.
Buh Rabbit haul off an slap um side de
head. Eh han fastne. Buh Rabbit try fuh
pull eh hand back, an eh say: "Wuh you
hole me han fuh? Lemme go. Ef you dont
loose me, me guine box de life outer you
wid dis tarruh han." De Tar Baby yent
crack eh teet. Buh Rabbit hit um, bim,
wid eh tarruh han. Dat han fastne too
same luk tudder. Buh Rabbit say: "Wuh
you up teh? Tun me loose. Ef you dont
leggo me right off, me guine knee you."
De Tar Baby hole um fas. Buh Rabbit
skade an bex too. Eh faid Buh Wolf come
ketch um. Wen eh fine eh cant loosne eh
han, eh kick de Tar Baby wid eh knee. Eh
knee fastne. Yuh de big trouble now. Buh
Rabbit skade den wus den nebber. Eh try
fuh skade de Tar Baby. Eh say: "Leely
Gal, you better mine who you duh fool long.
Me tell you, fuh de las time, tun me loose.
Ef you dont loosne me han an me knee
right off, me guine bus you wide open wid
dis head." De Tar Baby hole um fas. Eh
yent say one wud. Den Buh Rabbit butt de
Tar Baby een eh face. Eh head fastne same
fashion luk eh han an eh knee. Yuh de

ting now. Po Buh Rabbit done fuh. Eh
fastne all side. Eh cant pull loose. Eh
gib up. Eh bague. Eh cry. Eh holler.
Buh Wolf yeddy um. Eh run day. Eh
hail Buh Rabbit: "Hey, Budder! wuh de
trouble? Enty you tell me you no blan
wisit me spring fuh git water? Who cala-
bash dis? Wuh you duh do yuh anyhow?"
Buh Rabbit so condemn eh yent hab one
wud fuh talk. Buh Wolf, him say: "Num-
mine, I done ketch you dis day. I guine
lick you now." Buh Rabbit bague. Eh
bague. Eh prommus nebber fuh trouble
Buh Wolf spring no mo. Buh Wolf laugh
at um. Den eh tek an loose Buh Rabbit
from de Tar Baby, an eh tie um teh one
spakleberry bush, an eh git switch an eh
lick um tel eh tired. All de time Buh Rab-
bit bin a bague an a holler. Buh Wolf yent
duh listne ter um, but eh keep on duh pit de
lick ter um. At las Buh Rabbit tell Buh
Wolf: "Dont lick me no mo. Kill me one
time. Mek fire an bun me up. Knock me
brains out gin de tree." Buh Wolf mek
answer: "Ef I bun you up, ef I knock you
brains out, you guine dead too quick. Me
guine trow you in de brier patch, so de brier
kin cratch you life out." Buh Rabbit say:

"Do Buh Wolf, bun me: broke me neck, but dont trow me in de brier patch. Lemme dead one time. Dont tarrify me no mo." Buh Wolf yent bin know wuh Buh Rabbit up teh. Eh tink eh bin guine tare Buh Rabbit hide off. So, wuh eh do? Eh loose Buh Rabbit from de spakleberry bush, an eh tek um by de hine leg, and eh swing um roun, an eh trow um way in de tick brier patch fuh tare eh hide an cratch eh yeye out. De minnit Buh Rabbit drap in de brier patch, eh cock up eh tail, eh jump, an eh holler back to Buh Wolf: "Good bye, Budder! Dis de place me mammy fotch me up, — dis de place me mammy fotch me up:" an eh gone befo Buh Wolf kin ketch um. Buh Rabbit too scheemy.

---

## V.

### BUH FOWL-HAWK AN BUH ROOSTER.

Buh Fowl-Hawk, him fly ebry day dis way and dat way ober de lan, an eh cant fine nuttne fuh eat. Eh hail de Sun one time, an eh tell um eh so hongry eh ready fuh drap; dat eh cant git bittle fuh eat; an

he dunno wuh fuh do. De Sun, eh say:
"Budder, ef you kin ketch me in me bed,
me gree fuh fine you in bittle." Buh Hawk
tek de greement, an eh try berry hade fuh
come pon topper de Sun in eh bed. But
ebry time de Sun done git up befo Buh
Hawk ketch de place way de Sun sleep.
Buh Hawk gib up. Eh dead tired. Den
eh tun in an consult Buh Rooster. Buh
Rooster yeddy him tale, and den eh say:
"Me tell you, Buh Hawk, wuh you better
do. You come sleep right ober me back;
an wen, soon a mornin, you yeddy me knock
me wing togedder and crow, you sail right
off fuh de Sun house, an you kin ketch um
befo eh git up from eh bed." Buh Hawk
do dis es Buh Rooster tell um. Eh come
dat ebenin, an eh set on de tree-limb right
ober way Buh Rooster duh sleep.

Long befo day duh broke Buh Rooster
knock eh wing togarruh an crow. Bless yo
soul! Buh Fowl-Hawk wake up, eh switch
eh tail, eh pitch off de tree, an eh mek fur
de spot way de Sun blan sleep. Eh ketch
um een eh big house. Eh day in eh bed.
Buh Hawk, eh knock to de do. De Sun
say: "Who dat?" Buh Hawk mek answer:
"Duh me." De Sun say: "Who you?"

Buh Hawk say: " Duh me, Budder Hawk."
De Sun quire: " Wuh you want long me ? "
Buh Hawk mek answer: " Enty you bin
tell me one day dat ef me kin ketch you in
you bed you guine fine me ? Now me done
ketch you in de bed. Gimme de bittle you
prommus me. Me berry hongry." De Sun
bex. Eh wunt come to de do, but eh holler
back to Buh Hawk, an eh say: " You tun
right roun, an you go to de man wuh pint
you to ketch me in me bed, an you tell um
fuh fine you." Buh Hawk rale disappint.
Eh try fuh swade de Sun, but de Sun wunt
listne ter um; and de Sun dribe um way
from him house. Buh Hawk mad, an wen
eh see eh cant git no bittle from de Sun, eh
fly back to Buh Rooster. Buh Rooster, him
ax um: " Me Budder, how you mek out ? "
Buh Hawk tell um eh yent mek out wut.
Den eh up an quaint Buh Rooster how de
Sun wouldnt gie um no bittle fuh eat ; how
eh dribe um way ; an how eh tell um fuh go
back to de man wuh pit um on de trail fuh
ketch um in eh bed, an mek um fine um.
Buh Rooster mek answer: " Budder, me
yent hab no bittle fuh gie you. Me no kin
fine you." Buh Hawk say: " Me dead
tired. Me berry hongry. Me mus hab me

payment." Buh Rooster say: "You cant git no payment outer me. All me got duh me wife an me chillun, an me know me yent guine gie you none er dem." Wen Buh Hawk see eh cant swade Buh Rooster fuh fine um, eh try narruh plan. Eh leff Buh Rooster, an eh sail way up in de element tell eh done gone in de cloud. All de time eh duh watch Buh Rooster. Wen Buh Rooster clean forgit Buh Hawk, an leh eh chillun play bout een de grass, befo eh know, down drap Buh Fowl-Hawk, an eh ketch up one er dem same Buh Rooster chillun. Eh fly off wid um to one big oak tree, an eh pick eh bone clean. Buh Rooster holler, but eh cant tetch Buh Hawk. De chicken sweet. Buh Hawk feel good. From dat day tell now, Buh Fowl-Hawk blan pick eh chance an lib off Buh Rooster chillun.

## VI.

### BUH TUKREY BUZZUD AN DE KING CRAB.

You notus Buh Tukrey Buzzud. Him lub lamb, an dead cow, an dead horse, an snake, an alligatur, an all kinder varmint.

Eh berry lub dead fish too, but eh nebber bodder wid crab. You sabe huccom so? Lemme tell you.

One time one fisher-man bin come from fishin. Eh tek out de good fish, eh tring um on a mash grass, an eh lef in de boat some leely gannet-mullet an catfish wuh eh no want, an one big King Crab wuh eh bin ketch duh ribber. De sun hot. De fish done dead. Bimeby eh smell bad in de boat. Buh Tukrey Buzzud, wuh bin a grine salt way up in de element, scent um, an down eh come. Eh gone in de boat an eh eat up de fish wuh day day. Eh dat greedy eh duh hunt fuh mo. Eh see de King Crab duh squat een de water duh bottom er de boat. Eh tretch open eh wing fuh skade de Crab an mek um come outer de water. Buh Tukrey Buzzud faid water. Eh nebber will wet him foot ef eh kin help. De King Crab see de Buzzud, an eh crawl up long side de boat. Buh Tukrey Buzzud ben ober fuh pick um. De Crab graff Buh Tukrey Buzzud leg wid eh claw. Buh Tukrey Buzzud hop an kick. Eh couldnt mek de Crab leggo. De ting hot um berry bad. Buh Tukrey Buzzud rise wid de Crab duh heng on ter eh leg. Eh sail up in de element. De Crab stick ter um. Buh Tukrey Buzzud try ebry plan fuh shake um off. De Crab wunt loose eh grip. Buh Tukrey Buzzud tun summerset in de sky. Eh flap eh wing. Eh mek all sorter curous motion. Eh cant shake de Crab loose. Bimeby eh try fuh bite de Crab. All ob a sutten, de Crab tek eh tarruh claw, an eh fastne Buh Tukrey Buzzud roun eh neck. Yuh de big trouble now. One claw hole Buh Tukrey Buzzud foot; tarruh claw clamp Buh Tukrey Buzzud roun eh neck. De Bud duh choke. Eh gib up. Eh cant go no fudder. Eh dis leggo ebryting in de element, an eh fall heel ober head plash in de water. De minnit de King Crab fine isself in de ribber, eh loosne eh hole an eh gone der bottom. Buh Tukrey Buzzud mose drown. Eh fedder wet. Eh splutter, eh wabble, an arter awhile eh manage fuh ketch eh bref, an eh mount eh wing, an eh sail off teh one dead libe-oak tree, wuh grow on de bank, an eh set down day an eh pick eh fedder, an eh watch de blood duh drap from eh neck an leg, an eh say to isself: " Me nebber guine bodder long crab gen long as me lib." An eh nebber did. You show King Crab to Buh Tukrey Buzzud, an eh'll leff um. Eh yent guine nigh um. All eh fambly faid um.

## VII.

### DE KING, EH DARTER, BUH WOLF, AN BUH RABBIT.

One time er King hab er pooty Darter.
Buh Wolf an Buh Rabbit all two bin a
spark at um an a cote um. De sanfly bin
berry bad. De King tell Buh Wolf an
Buh Rabbit de one wuh kin stan de sanfly
de longes bedout bresh um way, shill git
de gal.

Buh Wolf yent bin so scheemy as Buh
Rabbit. Wen dem all was a settin fuh de
match, Buh Rabbit, him say: "Gentlemans,
my fader had a black horse. Eh had a
white spot yuh, and a red spot day; a
white spot yuh, and a red spot day; a white
spot yuh, and a red spot day." Ebry time
eh pint out de place way de spot bin, eh
dribe off de sanfly.

Wile dis duh guine on, de sanfly mose eat
up Buh Wolf. Eh bleege fur cratch an
slap. So Buh Rabbit gain de day, an de
King gie um eh Darter.

Buh Wolf, him look berry sad, an eh wunt
talk. All de lady bin a set in de piazza
long de King an eh Darter. Den Buh Rab-

bit say : "Come, Buh Wolf, leh we broke
up. Ef you lemme ride you ter de big gate
me guine tun de King Darter ober ter you."
Buh Wolf happy. Eh gree fuh leh Buh
Rabbit ride um. Buh Rabbit light on eh
back. Eh hab spur on. Buh Wolf dunno
nuttne bout dis. Soon es Buh Rabbit git
on Buh Wolf back, eh clamp eh leg onder
Buh Wolf belly, an eh clap spur ter Buh
Wolf. Buh Wolf rare up. Eh jump. Eh
kick. Eh leddown. Eh try ebry way fuh
trow Buh Rabbit. Buh Rabbit stick ter eh
back, an wunt fall off. De mo Buh Wolf
rare up an kick an pitch, de wus Buh Rab-
bit spur um. Wen eh fine eh cant trow
Buh Rabbit, eh tek de big road an lean fuh
de gate. Buh Rabbit stick de spur in um
ebry jump. Buh Wolf run. Eh run. Eh
holler. Eh holler. Buh Rabbit duh set on
eh back an duh spur um, an duh look dess
as happy an content as eh kin be. Wen
dey guine tru de big gate, Buh Rabbit light
off eh back an jump on top de gate pose.
Buh Wolf cant stop run. Eh gone. Buh
Rabbit shet de gate, an tun back, an jine
de compny, an tek eh bride.

## VIII.

### BUH PATTRIDGE AN BUH RABBIT.

Buh Pattridge and Buh Rabbit jine compny fuh kill cow. Wen dey done kill um, dey share de meat equel. Buh Pattridge tek one half; Buh Rabbit, him tek tarruh half. Buh Pattridge tote him share home, an cook some, an gen um to him chillun. Buh Rabbit, him tay buhhine an watch him share. Wen Buh Pattridge an him chillun done eat dem belly full, Buh Pattridge gone back to de place way de cow bin kill. Eh meet Buh Rabbit duh siddown day duh wait fuh hire somebody fuh cahr him meat ter him house. Buh Pattridge, him want mo meat. Eh up an tell Buh Rabbit: " Dat cow meat no good. Me cook some an gen to me chillun, an eh kill two er um." Buh Rabbit say: " Eh yent." Buh Pattridge say: " Me tell you eh yiz. Me bin eat some too, an eh mek me feel berry bad. Rattlesnake must a bin trike dat cow an pizen um." Den Buh Pattridge fall on de groun, an flutter, flutter, flutter, dis like eh bin guine fuh dead. Buh Rabbit tink say de pizen meat been a wuk in um, an eh hop off, an eh fetch water, an eh trow um in Buh Pattridge face. Wen Buh Pattridge sorter vive, Buh Rabbit tell um eh no want de meat, dat eh guine leff um. Den Buh Rabbit wish Buh Pattridge de time er day, an gone teh him house. Soon as Buh Rabbit git outer yearin, Buh Pattridge whistle fuh him chillun. De gang all bin in de bush duh watch. Den dey all run up an cahr de meat to dem house, an cook um an eat um.

De meat bin good, an Buh Pattridge only do dat fuh fool Buh Rabbit an git him share too.

---

## IX.

### DE OLE MAN AN DE GALLINIPPER.

An ole man bin a hunt roccoon in de wood. Eh hab eh dog fuh tree de coon, an eh hatchich fuh chop down de tree. De dog bark. De ole man gone ter um. Eh look up de tree fuh see de coon. Steader de coon, er big Gallinipper bin a settin in de crotch er de sweet-gum. De tree so big de ole man cant retch round um wid bofe eh arm. De dog bark at de Gallinipper. Eh bark. Eh bark. De Gallinipper git bex. Eh light

off de tree fuh bite de dog. De dog hol-
ler an run roun de tree. De Gallinipper
miss eh lick, an dribe eh bill trugh de tree
tell de pint come out on tarruh side. De ole
man try fuh chop off de een er de Gallinip-
per bill. Wen de Gallinipper see wuh de
ole man up teh, eh rare back an try fur pull
eh bill outer de tree. Eh fastne so tight eh
couldnt git um out, but eh strain so hebby
eh drag de tree up by de root. De ole man
dat scade eh drop eh hatchich, eh leff eh dog
der wood, an eh lean fur home.

---

## X.

### BUH SPARRUH.

Buh Sparruh, him berry leetle, but him
lub fur brag. Eh yent much fur wuk.

One time de Bluefinch, de Trasher, de
Red-Bud, de Jay-Bud, de Pattridge, and de
Sparruh all come inter cohoot ter plant tet-
ter [1] and see who kin raise de bigges. Wen
de tetter done mek an dig, all de bud collec
togarruh, an ebry one fotch a tetter ter show
wuh kind a crop eh mek. De Crow bin de
judge. Eh look ober all de tetter, an wen

[1] Sweet potatoes.

eh fine Buh Sparruh no bin bring none, eh
ax Buh Sparruh: "Way you tetter?" Buh
Sparruh biggin fur brag, an eh say: "Me
tetter, him heap bigger den any me see. Me
farruh befo me blan plant tetter, an him
tetter bigger ner de calf er me leg. Me kin
beat me farruh raise tetter. Me yent bin
bring no tetter wid me case me no want fur
mek me fren feel bad." Tarruh bud say:
"Nummine, you go fetch you tetter. Leh
we see um." Wen Buh Sparruh fine dem
all bent pon mek um show eh tetter, eh say:
"Well, wait pon top me. Me guine git me
tetter." Buh Sparruh gone, and de bud all
wait. Dem wait tell dem tired, an Buh
Sparruh no come back. Den Buh Crow,
wuh bin de judge, sen Buh Bluefinch fur
fine Buh Sparruh, an see wuh eh duh do.
Buh Bluefinch meet Buh Sparruh duh pick
seed in one ole fiel. Eh hail um: "Hey!
Buh Sparruh! wuh mek you no come back?
All de tarruh bud duh wait top you fur
show you tetter." Buh Sparruh rare isself
back, an eh mek answer: "You go tell Buh
Crow an de tarruh gentlemans me tetter so
big me cant tote um."

Buh Sparruh lie. Eh dis bin a brag. Eh
yent nebber bin plant no tetter.

## XI.

### BUH ALLIGATUR AN BUH MASH-HEN.

Buh Alligatur nebber does trubble Buh
Mash-hen an eh chillun. Enty, heap a
time, you see Buh Mash-hen duh ketch fid-
dler on de ribber bank close by way Buh
Alligatur duh feed, an Buh Alligatur yent
lick at um wid eh tail, ner skade um? You
know huccum dis? Ef you dunno, lemme
tell you.

One time Buh Alligatur, him been er eat
crab. Him bin hab one teet wuh hab hole
in um. Dat teet duh hot um berry bad.
Buh Alligatur blan chaw up crab, shell an
all. Wen eh der eat dem crab, one er de
claw fastne in him rotten teet, an hot um so
bad eh mek um holler. Eh cant do nuttne
cept open eh jaw an moan. Eh foot yent
long nough fuh pick de claw out.

Wile eh bin a moan an suffer, Buh Mash-
hen pass by. Buh Alligatur hail um an tell
um wuh happne, and mek um sensible how
bad de claw duh hot um, an how eh yent
hab de power fuh git um out, an eh bague
um fuh pull de ting out wid eh bill. Buh
Mash-hen yeddy um, but eh fade fur trus eh

head between Buh Alligatur jaw. Eh spi-
cion say Buh Alligatur guine trick um, an
kill um, an eat um, an eh tell Buh Alligatur
him too scheemy. But Buh Alligatur, him
schway to Buh Mash-hen dat eh yent guine
trubble um, an dat ef eh would bleege um an
pick de ting out, eh would be fren ter um
an eh fambly all dem life, an mek all dem
tarruh Alligatur fren too.

Wen Buh Mash-hen see Buh Alligatur
duh bague so harde, an wen eh fine out eh
bin der tell de trute, eh tek pity on um, an
eh pit eh head in eh mouf an eh pull out de
crab-claw, wuh fastne in eh teet, wid eh bill.

Dat ease Buh Alligatur, an eh tell Buh
Mash-hen heap er tenky. An eh mek all
eh quaintunce sensible er de big faber wuh
Buh Mash-hen bin done ter um.

Buh Alligatur, him keep eh wud. Ebber
sence, Buh Mash-hen kin walk bout de mash
an de ribber, an buil nes, an ketch fiddler
an shrimp all round Buh Alligatur, an eh
yent try fuh bodder um.

Dat de way Buh Alligatur an Buh Mash-
hen come fur lib togerruh luk same fambly.

## XII.

### BUH FOWL-HAWK AN BUH TUKREY BUZZUD.

Time bin berry harde. Bittle oncommon scace. Buh Fowl-hawk an Buh Tukrey Buzzud, dem bin a sail backwud and forrud in de element, duh look fuh see wuh dem kin pick up fur eat. Es dem pass one a nurrur, Buh Fowl-hawk, him ax Buh Tukrey Buzzud how him mek out. Buh Tukrey Buzzud mek answer dat eh yent mek out wut; dat half de time eh cant fine nuttne fuh eat ; dat eh so hongry eh mos ready fuh perish ; but dat eh mek up eh mine ter keep on guine, an ter wait on de Lord. Den eh quire ob Buh Fowl-hawk how him duh git long dis yer tight time. Buh Fowl-hawk, him switch eh tail, an eh say him smarte nough fuh git him libbin ; dat him dont lack fuh bittle ; dat Lord er no Lord, him manage fuh fine all him want fuh eat.

Wid dat dem part compny, an gone dem own couse.

Bimeby dem sail pass one anurrer gen, an Buh Fowl-hawk, him call to Buh Tukrey Buzzud, an him say : " Enty me bin tell you

me hab no trouble fuh fine bittle wenebber
me want um? You see dat black chicken
down yander? Me guine ketch um now fuh
me dinner."

Wid dat, eh leff Buh Tukrey Buzzud, an
eh mek eh lunge fuh kibber de chicken.
Stidder eh bin one chicken, eh tun out fuh
bin er sharp-pinted stump; an befo Buh
Fowl-hawk fine out de diffunce, an kin check
eh speed, eh hit eh bres gin de stump an kill
ehself.

Two, tree day arter dat, Buh Tukrey Buz-
zud bin a sail ober de same groun, an eh
cotch de scent er someting dead. Eh fole
eh wing an eh come down. Wen eh come
fuh fine out, eh see Buh Fowl-hawk duh led
down dead. Den eh say: "Enty me bin
tell you eh heap better ter wait on de Lord
stidder trus ter you own luck? You wouldnt
yeddy me, an you see wuh happne. Now
me tun come, an you flesh guine ile me
bade." Wid dat, eh eat up Buh Fowl-hawk.

"De man wuh trus in ehself," moralized
Daddy Sandy, "guine fail; wile dem dat
wait topper de Lord will hab perwision mek
fur um."

## XIII.

### BUH WOLF AN BUH RABBIT.

Buh Wolf and Buh Rabbit bin a cote de same Gal. De Gal bin rich an berry pooty. Dem tuk tun fuh wisit um. Buh Rabbit, him gone der mornin, and Buh Wolf, him gone der ebenin. De Gal harde fuh mek up eh mine. Eh sorter courage bofe er um. One mornin Buh Rabbit bin a mek fun er Buh Wolf ter de Gal, an eh tell um say Buh Wolf yent duh nuttne mo den eh far- ruh ridin horse.

Wen Buh Wolf pay him wisit de same ebenin, de Gal tell um wuh Buh Rabbit bin say bout um. De ting mek Buh Wolf bex, an eh say Buh Rabbit lie, an eh guine fetch Buh Rabbit ter de Gal an mek um tek back dat big wud befo eh face.

Buh Wolf leff de Gal an gone straight ter Buh Rabbit house. Buh Rabbit bin spicion say de Gal guine tell Buh Wolf wuh him bin say bout um; an eh know, wen Buh Wolf yeddy, dat eh boun fur tackle um bout um. So Buh Rabbit, him fix eh plan.

Wen Buh Wolf git ter Buh Rabbit house, eh fine um all shet up. Eh look same luk

nobody bin day. Eh knock ter de do. Eh
knock. Eh knock. No ansur. Eh gone
ter de winder. Eh shake um. Nobody mek
ansur. Den eh holler: " Buh Rabbit, Buh
Rabbit! " Arter a while eh yeddy er leely
woice eenside say: " Who dat? " Buh Wolf
ansur: " Duh me, Buh Wolf." Buh Rabbit
say: " Wuh you want, Buh Wolf? " Buh
Wolf, him say: " Lemme come in, Buh Rab-
bit; me bleege fuh see you on tickler bid-
ness." Buh Rabbit, him mek ansur: " Buh
Wolf, me cant see you now; me berry sick;
me day in me bed; me too weak fuh open
de do." Buh Wolf say: " Buh Rabbit, you
mus lemme in: you de only man wuh kin
ten ter de bidness wuh bring me yuh." Buh
Rabbit try fuh pit um off. Eh tell um eh
hab high feber, an eh cant rise; dat eh
back bin er hot um so bad eh cant tun in eh
bed. But Buh Wolf cist so strong, Buh
Rabbit slip to de do, an eh draw de bolt, an
eh tiptoe back ter eh bed, an den eh say:
" Well Budder, ef you mus see me, bad off
es me yiz, come in." Wen Buh Wolf come
in, eh fine Buh Rabbit kibber up in eh bed,
duh pant an duh moan berry pittiful. Buh
Wolf tan by de bed, an eh ax Buh Rabbit:
" Enty you tell de Gal, wuh we bin a cote,

say me bin nuttne but you farruh ridin
horse?" Buh Rabbit say: "Me nebber
did." Buh Wolf say: "You yiz bin tell um
so." Buh Rabbit say: "Me yent." Den
Buh Wolf schway: "De Gal done tell um
say Buh Rabbit sisso, an eh bleebe de Gal."
Buh Rabbit run Buh Wolf down dat eh
nebber bin nuse no sich wud. Den Buh
Wolf say: "Ef you nebber bin say no sich
wud, you mus git up an go long me, an
knowledge befo de Gal dat you nebber bin
sisso." Buh Rabbit hole back. Eh say eh
too weak fuh git outer de bed, and dat ef eh
did git up eh too weak fuh walk ter de Gal
house. But Buh Wolf foce um. Eh say:
"You got ter go. Me guine help you outer de
bed, an ef you cant tek you foot, me guine
tote you." Wen Buh Rabbit fine no chance
fur um fuh dodge no mo, an dat Buh Wolf
boun fuh mek um go, eh git Buh Wolf fuh
help um outer de bed. Arter eh git on de
flo, Buh Rabbit sorter faint way. Buh Wolf
tek um up an cahr um ter de do, an fan um.
Buh Rabbit bin a play possum all de time.
Wen eh come too, Buh Wolf liff um up
an pit um on eh back. Buh Rabbit say:
"Hole on, Buh Wolf, me cant set on you
back dout fall off: me mus hab someting fuh

steady me; you mus gimme someting fuh
me fuh hole on ter.  Yuh me farruh ole sad-
dle an bridle.  Lemme pit dem on you, an
den me tink me kin manage fuh go long wid
you."  Buh Wolf, him yent spicion nuttne,
an eh tan still an leh Buh Rabbit pit de
saddle an bridle on um.  Onbeknowinst ter
Buh Wolf, Buh Rabbit slip behind de do an
pit on er pair er keen spur.  Den Buh Wolf
help um on eh back, an state fuh trot fuh de
Gal house.  Buh Rabbit say: " Buh Wolf,
dont go so fas: me so weak me cant hole on ;
you mus walk."  Buh Wolf, him haky ter
um, an eh come down ter a walk.  Wen
dem retch de abnue wuh lead from de big
road ter de house way de Gal lib, dem shum
all dress een white duh settin in de piazza.
Soon es dem pass tru de big gate, Buh Rab-
bit, him gedder de range in eh han, an eh
slap spur to Buh Wolf.  Buh Wolf say:
" You fool, wuh you duh do?" an eh rare an
pitch an try fuh trow Buh Rabbit off.  Buh
Rabbit stick on, an eh clap de spur wus an
wus ter Buh Wolf.  Wen Buh Wolf fine
out eh cant do nuttne, eh keep de abnue
straight fur de house.  Wen dem duh nigh
de house Buh Rabbit holler ter de Gal:
" Wuh me bin tell you ?  Yuh me come pon

me farruh ridin horse," an eh rip spur een
Buh Wolf an eh hole um tight. De spur
hot Buh Wolf so bad eh couldnt do nuttne
but run. Buh Rabbit tun um dest by de
piazza, an eh light off eh back, an eh run
up ter de Gal, an eh say : " Wuh you tink
er me farruh ridin horse ? " Buh Wolf so
painful, so bex, an so shame, eh keep on run,
an eh nebber come back fur see de Gal
no mo.

Buh Rabbit, him too scheemy fuh Buh
Wolf. Wen de Gal notus how smate Buh
Rabbit bin, an how eh mek good eh big
wud, eh gen um eh han, an, leetle while arter,
dem bin git marry.

———◆———

## XIV.

### BUH WOLF AN DE TWO DINNER.

Buh Wolf, him binner inwite ter two din-
ner de same day an de same time : one gen
by Cooter Bay, an de tarruh by John Bay.
Dem bin bredder, an dem lib on two seprite
road wuh jine at de fork. Buh Wolf, him
so greedy him cept bofe inbitation. Wen
de time come fuh go, eh dress ehself up an

eh light out. Wen eh git ter de place way
de road fork, eh stop an eh consider. Eh
want fuh tek bofe road an go ter de two din-
ner. Eh cant tek one an leff tarruh. Eh
gone down one road; eh tun back; eh tan
ter de fork. Eh tek tarruh road; eh come
back ter de fork; eh tan day gen. Eh state
off; eh tun back. Eh state off gen; eh tun
back gen. Eh cant mek up eh mine which
dinner fuh tek an which dinner fuh leff. Eh
hanker arter bofe. Eh wase eh time. Wile
dis bin a guine on, de people bin a eat at
bofe de dinner.

Bimeby yuh come some er dem, wuh bin
eat dinner wid Cooter Bay, duh mek dem
way home. Dem see Buh Wolf duh tan in
de fork er de road, an dem hail um, an dem
say: "Hi! Buh Wolf, wuh you duh do
yuh?" Buh Wolf, him mek answer: "Me
guine ter Cooter Bay fuh dine long um."
Den dem tell um say de dinner done ober;
dat dem jist come from day, an dat dem bin
hab plenty er good bittle fuh eat. Buh
Wolf rale cut down case eh loss one din-
ner.

Eh hop off an mek fuh John Bay house
fuh git de tarruh dinner. Eh yent bin gone
no destant befo eh meet dem people duh

comin back wuh bin gone fuh eat dinner long John Bay. Dem tell um de dinner done ober, an eh mights well tun back. Buh Wolf outdone. Eh so greedy eh couldnt mek up eh mine which dinner fuh tek. Eh tink eh guine git all two, an eh yent git none. Eh gone home dat bex an hongry eh ready fuh kill ehself.

People wuh wunt mek up dem mine in time wuh dem mean fuh do guine git leff.

## XV.

### BUH OWL AN BUH ROOSTER.

Buh Owl, him bin a great music-meker. Him an Buh Rooster bin good fren. Heap er bud blan wisit Buh Rooster house fuh yeddy music an fuh dance. Buh Owl, him sing so well an eh pick de banjo so clear, nobody kin listen ter um an keep eh foot still; but eh no wan leh nobody shum wen eh duh sing an play. Buh Rooster, him always blan hab a dark room fuh Buh Owl fuh set in wen eh duh play fuh de bud. Lamp day in day, but eh hab shade on um. Buh Owl kin see de bud wuh duh dance, but de bud,

dem cant see Buh Owl. Buh Owl, him faid
light, an eh yent der bole bud no how.

One ebenin Buh Owl bin a sing an play
oncommon well fuh de bud at Buh Rooster
house fuh dance. De pahler bin full, but dem
yent bin know who dat bin a mek de music.
Buh Rooster, him bin prommus Buh Owl dat
eh yent guine tell who duh sing an play.
Wen dem all bin dance tel dem tired, dem
all bague Buh Rooster fuh show dem de man
wuh bin mek sich pooty music fuh dem fuh
dance long. Buh Rooster say him cant.
Dem keep on bague, tel, at lenk, Buh Roos-
ter gone in tarruh room, an eh tek de shade
offer de lamp. Wen dem look pon topper
Buh Owl, eh yeye so big, an eh yez cock up
so high, eh skade de people, an dem all holler
an run.

Buh Owl, him berry bex case Buh Rooster
broke eh wud, an eh fall out wid Buh Roos-
ter. From dat day Buh Owl hate Buh
Rooster, eh wife, an eh chillun. Wenebber,
duh night, eh yeddy any er um duh crow er
der fix ehself topper eh roose, eh mek fuh
de place an eat um up. Eh yent do, in dis
wul, fuh man fuh ceive eh fren.

## XVI.

### BUH LION AN BUH GOAT.

Buh Lion bin a hunt, an eh spy Buh Goat duh leddown topper er big rock duh wuk eh mout an der chaw. Eh creep up fuh ketch um. Wen eh git close ter um eh notus um good. Buh Goat keep on chaw. Buh Lion try fuh fine out wuh Buh Goat duh eat. Eh yent see nuttne nigh um ceptin de nekked rock wuh eh duh leddown on. Buh Lion stonish. Eh wait topper Buh Goat. Buh Goat keep on chaw, an chaw, an chaw. Buh Lion cant mek de ting out, an eh come close, an eh say: " Hay! Buh Goat, wuh you duh eat ? " Buh Goat skade wen Buh Lion rise up befo um, but eh keep er bole harte, an eh mek ansur: " Me duh chaw dis rock, an ef you dont leff, wen me done long um me guine eat you." Dis big wud sabe Buh Goat. Bole man git outer diffikelty way coward man lose eh life.

## XVII.

### BUH BEAR AN BUH TIGER.

Buh Bear, him tired lib wid eh farruh an eh fambly, an eh tell eh farruh eh guine way fuh mek eh own libbin, an eh want um fuh gem wuhebber eh hab wuh cummin ter um from de fambly property. Eh farruh an eh murrer try fuh swade um fuh stay long dem, but eh say eh mek up eh mine fuh go. Den eh farruh tell um eh yent hab nuttne fuh gem cept sebbn loaf er bread. Buh Bear, him berry disappint; but wen eh see eh yent guine git nuttne mo, eh gree fuh tek um. Eh farruh tell um: " De man wuh eat any er dat bread long you will hab fuh rastle long you fuh sebbn year." Buh Bear cahr eh bread, an gone der wood, an mek camp fuh ehself. Wen eh bin er eat de bread, Buh Tiger come long an bague um fuh some. Buh Bear say: " Buh Tiger, ef you eat any er dis yer bread, you haffer rastle long me fuh sebbn year." Buh Tiger, him answer: " Me willin: me hongry; gimme de bread." Den Buh Bear gen um some, an eh eat um. Befo dem part Buh Tiger tell Buh Bear way him house yiz, an gree fuh rastle long um de

nex mornin. Buh Bear say: " Berry well :
me guine come ter you house by de time de
sun git up, an you will haffer rastle long me."

Soon a mornin Buh Bear gone ter Buh
Tiger house an knock ter de do. Buh Tiger
come out in er hurry, an dey graff hold er
one anurrer. Buh Bear fling Buh Tiger ;
an befo eh leh um git up, eh box um side er
de head.

Nex day Buh Bear come gen same time,
and Buh Tiger meet um, an dem rastle, an
Buh Bear fling um an hit um side er de head,
same place way eh bin knock um de day
befo. Nex day same ting. Nex day same
ting. Nex day same ting. De six mornin,
wen Buh Bear knock ter Buh Tiger do, Buh
Tiger yent come out. Eh sen eh wife fuh
say eh bin berry sick. Buh Bear say eh mus
come out. Eh wife tell um ; an arter Buh
Tiger fine out Buh Bear yent guine leff, eh
come out. Eh head swell way Buh Bear bin
a box um. Buh Tiger look bad. Buh Bear
hole um gen an eh trow um berry easy, an
den eh box um gen in de same ole place
sider eh head, way eh bin a knock um befo,
an wuh swell. Eh hot Buh Tiger so bad eh
holler. De nex mornin, wen Buh Bear come,
Buh Tiger bin in eh bed. Eh head tie up,

an eh wife bin a nuss um. Eh couldnt ras-
tle long Buh Bear no mo. Buh Bear, him
shame um, an mek um leff eh house. Den
Buh Bear mobe in an mek ehself satify.

Buh Bear fine out dat de bread wuh eh
farruh bin gen um, an wuh eh hardly bin
want fuh tote long um, done um a heap er
good, an git um er nice house fuh lib een.

"Wenebber," added old Daddy Smart,
"you farruh gie you anyting, tek um, an
tenky. You suttenly will fine out dat wuh eh
gie you will do you no harm, but eh will
fetch good luck ter you."

———◆———

## XVIII.

### BUH MONKEY AN DE BULL-DOG.

Ebry body cept Buh Monkey bin full er
trouble. On ebry side you yeddy nuttne
cept bout trouble. Trouble yuh, trouble
day, trouble ebry way. Buh Monkey tell eh
wife eh wonder wuh dis ting duh wuh ebry
body bin a talk bout, an wuh dem all duh
call trouble. Him say him cant tell. Den
Buh Monkey mek up eh mine fuh go teh de
Debble, an fine out from um. Eh gone. Eh

ketch de Debble duh eat eh brukwus ; an
eh ax um huccum ebry body hab trouble
cept him. An eh leh de Debble know say
him wan fine out wuh dis ting duh wuh
bin a bodder ebry body, an wuh ebry body
call trouble. De Debble tell um fuh go
een de kitchin an wait topper um, an wen
eh done eh brukwus him will come out an
mek um sensible bout dis ting wuh call
trouble. Buh Monkey gone ter de kitchin,
an tek one chair an mek ehself saterfy. Eh
jaw duh run water, fuh eh tink ter ehself
de Debble guine gem some nice brukwus.
Eh wait day sich a lenk er time, an no bruk-
wus come. Den de Debble come outer de
big house duh fetch er bag een eh han. De
bag done tie up. Eh gen de bag ter Buh
Monkey, an eh tell um : " Trouble day een
dis yer bag. You cahr um tel you git een
de middle er de ole fiel, an den you open um,
an you guine fine out wuh call trouble."
Big fiel bin all roun an roun de house. Not
a tree nur a stump bin in dat fiel. Buh
Monkey tek de bag. Eh hebby. Eh state
fuh home duh tote um. Eh tired befo eh
retch de middle er de fiel. Wen eh ketch
de middle er de fiel, eh top, an eh onloose de
bag. Bless God! out jump one Bull-Dog,

an eh tek right arter Buh Monkey. Eh run.
Eh run. Eh holler. Eh holler. De Dog
day right arter um duh try fuh bite um.
Wen Buh Monkey git ter de wood, eh state
fuh clime de fus tree eh come teh. De Dog
so close behine um eh snap at um an bite off
eh tail. Buh Monkey leff eh tail een de
dog mouf, an gone up de tree. Eh fine one
crotch, an eh seddown duh pant an der cry.
Eh skade so tell eh scacely kin keep eh
seat. Eh tail duh bleed. De Dog sed down
onder de tree, an watch um, an wait fur um
fuh come down. Buh Monkey faid fuh
come down. Ebry time dat Buh Monkey
mek motion fuh come down, de Dog show eh
teet an growl. Night come, and Buh Mon-
key, him day up de tree. Eh fine out fuh
true wuh call trouble. Eh dat tired, an sore,
an skade, eh dunno wuh fuh do. Bout
middle der night de Dog hongry, an gone
home fuh eat eh bittle. Buh Monkey slip
down de tree an mek track fuh him house.
Wen eh meet eh wife an chillun, an show um
eh tail wuh bite off, an tell um wuh eh bin
tru, dem all mek er great miration, an dem
all conclude dem know nuff bout trouble, an
yent want see um no mo. Bad plan fuh
people fuh hunt trouble wen trouble yent der
hunt dem.

## XIX.

### BUH ELEPHANT AN BUH ROOSTER.

Buh Elephant, him bin know Buh Rooster berry well. Dem blan roam togerrur, an Buh Rooster blan wake Buh Elephant duh mornin, so eh kin hunt eh bittle befo de jew dry.

Dem bin a talk togerrur one day, an Buh Elephant, him bet Buh Rooster say him kin eat longer ner him. Buh Rooster, him tek de bet, an dem tun in nex mornin, wen de sun jis bin a git up, fuh see who guine win de bet. Buh Elephant, him gedder leaf an grass, an eat an eat tel eh full an cant eat no mo. Buh Rooster, him sarche de grass fuh seed an wurrum, an eh pick an eat. Wen Buh Elephant done full, an der tan onder de tree duh flop eh yez, eh see Buh Rooster, dist es spry, duh walk bout an der swaller seed an grasshopper an wurrum same luk eh dis biggin fuh eat. Buh Elephant gib up. Eh fine eh yent de man wid de bigges belly wuh kin eat de longes.

## XX.

### DE PO MAN AN DE SNAKE.

One po Man bin er mek eh libbin long split shingle an cut timber in de swamp. Him hab wife, but no chillun. Ebry day, from sunrise tel sundown, eh day in de swamp der cut. Try eh bes, eh scacely kin mek bread fuh eat.

One berry big Snake — de farruh er all dem tarruh snake wuh lib in de swamp — notus de po man. Eh see how hard eh wuk an how little eh mek, and eh tek pity on um. One ebenin, dis befo de po man knock off wuk, dis snake crawl up ter de log way de man bin er chop, an eh say : " Budder, how you der mek out ? " De man mek answer : " Me yent mek out wut. Me der wuk in dis swamp from sunrise tel dark, day een an day out, an try me bes, me scacely kin mek bittle nough fuh me an me wife fuh eat." Den de snake, him say : " Me sorry fuh you, an me willin fuh help you." De man tenk um, an ax um how eh guine help um. De snake say : "You got any chillun ? " De man say : " No." De snake quire : " You hab wife ? " De man say : " Yes." De snake

say: "Kin you keep secret from you wife?"
De man mek answer say eh kin. Buh Snake
tell um eh faid fuh truss um; but wen de
man bague de snake berry hard fuh try um,
de snake gree fuh do so. Den de snake tell
um eh guine gen um some money nex day,
but eh mussne tell eh wife way eh git de
money. De man mek strong prommus, and
so dem part.

De nex day, jis befo de po man done task,
de snake crawl up. Eh belly an eh mouf
puff out. Eh spit two quart er silber money
on de groun dist in front er de po man, an
eh say: "You member wuh me bin tell you
las ebenin? Well, yuh some money me fotch
fuh help you. Tek um, but member ef you
tell you wife way you git um, er who gen um
ter you, eh yent guine do you no good, an
you guine dead a po man." De man so glad
fuh git de money eh say: "Tenky, tenky,
tenky, me budder; me neber guine tell no-
body way me git all dis money." Arter eh
leff de swamp fuh gone home, de snake spi-
cion say eh bin guine go back on eh prom-
mus an tell eh wife: so eh mek up eh mine
fuh foller um an see wuh happne.

Eh bin dark wen eh retch de man house.
Eh crawl up, an eh leddown dist onder de

winder, way him kin yeddy all de wud wuh
talk in de house. De man wife bin a tun
roun an der cook supper. Arter him an eh
husbun done eat, eh husbun say: "Me bin
hab big luck ter-day: looker dis money."
Den eh pull out de silber and spread um on
de table. Eh wife stonish. Eh wife glad,
an eh say: "Tell me way you bin git all dis
money." De man say: "Fren gen um ter
me." Eh wife say: "Wuh fren?" De man
say him prommus no fuh tell. De wife say
but eh mus tell um, an eh bague so hard tel
de man done furgit eh prommus, an eh up
an mek um sensible how de ting all happne.
Den eh wife say: "Dat snake must hab eh
belly full er silber money, an me tell you wuh
you do ter-morruh. Wen de snake come
fuh talk long you, you pick you chance an
chop eh head off long you ax, an tek all de
money outer um." Eh husbun gree fur do
dist is him say.

Buh Snake, him yeddy ebry wud dem talk,
an eh gone to him house in de swamp berry
bex case de man wuh eh bin befren should-
der gone back on eh prommus and mek bad
bargain fuh kill um.

De nex day de man watch fuh de snake.
Wen de sun duh lean fuh down, an de man

bin a try fuh split one big log, Buh Snake
crawl up long sider de log an show ehself ter
de man. Dem talk togerrur; an de snake ax
de man: "You bin show you wife de money
wuh me bin gen you?" De man answer:
"Yes, me yiz." An den eh ax um: "You
bin tell you wife way you bin git um?" De
man say: "No." De snake ax um gen:
"You sho you no bin tell um you git um
long me?" De man say: "Me tell you one
time ready. Wuh mek you ax me dat ques-
tun gen? You tink me duh lie?" Wid dat,
eh mek eh lick fuh chop de snake head off.
De snake bin hab eh yeye on um, an eh
draw back gin de log. De ax miss de snake,
an glance back off de log an cut de man own
leg off. De po man holler fuh somebody
fuh come fuh help um. Eh day way in de
swamp out er yearin, an noboddy yeddy.
Wen eh duh bleed ter det, an dis befo eh
dead, Buh Snake, him say ter um: "Enty
me bin tell you, wen me gen you dat silber
money, ef you tell you wife way you git um
you guine dead one po man? You prommus
me you guine keep de secret. Steader dat,
you gone home ter you wife, an you show
um de money, an you tell um way you git
um. Mo na dat: you an him fix plan fuh

kill me wuh bin you fren, an rob me outer wuh money me hab leff. Now you see de jedgment wuh come topper you. In try fuh chop me head off, you cut you own foot off. You gwine dead in dis yer wood. No man ner ooman gwine fine you. Buzzud gwine eat you."

Eh happne dis is de snake say. De man broke eh wud, an eh dead a po man.

Anybody wuh gwine back on eh prommus, an try fuh harm de pusson wuh done um a faber, sho ter meet up wid big trouble.

* * *

## XXI.

### LEELY GAL, BUH ALLIGATUR, AN DE JAY-BUD.

A leely Gal bin a gwine home. Eh come ter de ribber bank, an no boat day fuh him fuh git cross. Eh dunno wuffer do. Eh seddown. Eh cry. Day binner gwine. Alligatur yeddy um, an eh come day, an eh ax de leely Gal wuh de matter. De leely Gal tell um. Den de Alligatur say: " Ef you prommus no fuh tell who cahr you ober de ribber, me will pit you cross." De leely Gal prommus, an de Alligatur tek um on eh back and ferry um ober all safe.

De nex day de Alligatur duh sun ehself on de ribber bank, an eh yeddy er woice say : " Yaller-belly Alligatur ferry me ober. Yaller-belly Alligatur ferry me ober." Eh listne. Eh tink say de leely Gal bin a talk, an dat eh bin broke eh prommus. Eh notus close, an wen eh yeddy de woice gen eh see er Blue-Jay bin er talk um een de tree. Dat same Blue-Jay bin day de ebenin befo, an bin er see an er yeddy all wuh happne, but de leely Gal an de Alligatur nebber bin know.

De Jay-Bud keep a holler : " Yaller-belly Alligatur ferry me ober." De Alligatur call to de Jay-Bud, an eh quire : " Wudder dat you say ? " An de Jay-Bud keep a sing : "Yaller-belly Alligatur ferry me ober." Alligatur, him say : " Me hard er yearin. Come close, so me kin yeddy you song." De Bud fly down dist by Buh Alligatur, an eh sing gen : " Yaller-belly Alligatur ferry me ober." Buh Alligatur yeddy um berry well, but eh so bex say de Bud done fine out, an der talk eh secret, dat eh want fuh kill um sho. So eh say gen : " Me tell you me deef ; come close ; set on me nose, so me kin yeddy wuh you duh sing." De fool Bud come an light

on eh nose, an eh holler gen : "Yaller-belly
Alligatur ferry me ober." De wud yent leff
eh mouf befo Buh Alligatur trow open him
mouf an ketch um, an chaw de life outer um.

Bad plan fur stranger fuh meddle long
tarruh people bidness.

---

## XXII.

### DE CAT, DE RAT, DE CHEESE, AN DE FOX.

De Cat an de Rat, dem fine one big piece
er cheese een er closet. Dem cahr um way
fuh share um. Dem cant gree how eh fuh
dewide, an dem call een de Fox fuh jedge
between um.

De Fox, eh berry cunnin, an eh nebber
furgit ehself. Eh bring eh scale, an eh pit
de cheese een um. Den eh tek eh knife an
eh cut off big piece, an eh pit um one side an
eh say dis fuh de jedge. Den eh weigh de
cheese gen een de scale, an eh tek um out
an eh cut off narrur slice, an eh pit um one
side an eh say dat fuh de jedge.

By dis time eh done tek mo ner half de
cheese. Wen eh pit de cheese back een de
scale, an hole um up gen, Buh Cat an Buh

Rat, dem bofe call out: " Hole on, Jedge ! Dis ting wrong. You gwine tek all we cheese an leff we none." Buh Fox, him berry bex, an eh gedder de cheese and eh fole up eh scale, an eh holler out : " Begone, you rogue. You lib pon tief, an you gwine tell me how fer do jestice? Good fuh you me only tek de cheese, an leh you go wid you life. Me great mine fuh kill you bofe."

Wid dat, Buh Cat an Buh Rat, dem leff, an Buh Fox, wuh bin de jedge, eat all de cheese.

Wen tief git plunder, better fuh dem fuh share um mongst demself den trus ter call een bigger rogue fur dewide um.

---

## XXIII.

### BUH RABBIT AN DE TARRUH BEASTISES.

All de animel conjunct togedder fuh buil house an gedder dem winter perwision. Buh Rabbit prommus fuh help, but wen dem call pon um fuh help tote de pole and de bresh, him mek scuse, say him wife berry sick and him bleege fuh tay home an nuss um. All dis bin a lie. Buh Rabbit, him scheemy an lazy. Eh always ready fuh mek big brag bout wuh him gwine do, but eh nebber does come up ter eh wud. Eh hate fuh wuk, an eh lub fuh lib offer tarruh people labuh.

Wen de house done buil, de animel, dem fetch ebry man eh own perwision, an pack um way een eh own place way eh kin git um wen fros fall, an de grass done dead, an de tree done drap eh leaf an eh fruit. De Possum, him bring an pile up pussimmun. De Squirle fetch eh hickry not an eh acorn. De Deer, de Elephant, de Cow, dem gedder an pack way grass an leaf. De Lion and de Tiger an de Wolf an all dem animel wuh lib offer meat, dem ketch dem meat and dry um, an bring um an pit um way een de house. De Bud, dem bring dem seed an dem wurrum. De Cooter, him hab him corner too, an eh full um long him bittle. Wen ebry body done gedder eh perwision, dem shet de do an gone ter dem house fuh ten ter dem bidness an wait tel winter come, wen dem gwine lib offer wuh dem bin pit way. Buh Rabbit, him bin a dodge bout way nobody kin shum, duh notus wuh gwine on, an bin a mek eh plan.

Soon es de house full, an de do shet, an

ebry body leff, eh slip een de house an pit
eh yeye on ebry ting, an mek up eh mine fuh
lib topper wuh all dem people bin gedder.
Eh fix one bed fur ehself. Eh gedder water
in piggin an calabash fuh lass um, an den
eh git two oncommon big horn, an eh gone
eenside an fassen up de do, an mek ehself
saterfy. Eh lib day, eh eat, eh sleep, eh pled-
jur ehself, an eh fine eh bittle right ter eh
han. Dis wuh Buh Rabbit lub. Nuttne mek
um so merry es to lib offer tarruh people.

Fros fall, an de animel biggin fuh tink
bout dem perwision wuh dem bin lay up een
de house. Fus come de Deer, an eh try fuh
open de do fuh git ter him pile er grass.
De do fastne. Buh Deer couldnt mek out
how dat. Eh knock ter de do. Eh knock.
Eh knock. Bimeby Buh Rabbit — wuh bin
a yeddy um all de time — tek eh horn, an
eh talk tru um fuh mek eh woice big, an eh
say: " Wudduh dat ? " Buh Deer, him sor-
ter skittish, an eh faid fuh trus ehself, an
de big woice kinder skade um, but eh mek
out fuh answer: " Duh me, Buh Deer."
Den Buh Rabbit talk tru eh horn: " Wuh
you want yuh, anyhow ? " Buh Deer an-
swer: " Me want fuh come een fuh git me
bittle wuh me bin pit way fuh me fuh eat

der winter." Buh Rabbit answer loud tru
eh horn : " You cant come een." Buh Deer
quire : " Who you day eenside ? " Den Buh
Rabbit tek eh biggis horn, an eh holler tru
um so loud eh mek de house shake : " Better
man den ebber bin yuh befo."

De woice so sewere Buh Deer skade, an
eh leff, an eh gone tell all dem tarruh animel
say big Sperit gone tek de house way dem
perwision done gedder. De animel stonish,
an dem all conclude fuh go een gang ter de
house an fine out wuh de ting yiz. Wen
dem all gedder, dem tell de Lion — wuh bin
de king beast — fuh quire bout who day
eenside. Buh Lion, him gone ter de do. All
de beastises tan roun fuh yeddy wuh gwine
happne. Buh Lion knock. No answer. Eh
knock gen. No answer. Den eh say : " Who
duh dat day een yuh ? " Buh Rabbit graff
eh big horn, an eh answer back tru um wid
all eh strenk : " Better man den ebber bin
yuh befo." De woice soun so outlandish, an
eh come wid sich er big noise, de beastises all
conclude wuh Buh Deer bin tell dem bin so,
an dat de Sperit, him bin tek persession er
de house. Dem faid fuh bus een de do, an
dem all gree fuh leff. Dem did leff, an dem
yent fine out tel dis day dat eh been Buh

Rabbit wuh fool um, an dat no Sperit bin day none tall.

---

## XXIV.

### BUH WOLF, BUH RABBIT, AN DE BUTTER.

Buh Wolf, him hire Buh Rabbit fuh help um wuk eh crap. Eh crap, eh day een de grass, an Buh Wolf faid eh gwine loss um. Befo dem state der fiel, Buh Rabbit notus say Buh Wolf hab een him house er nice pan er fresh butter. Eh mout water fuh git some, but eh shame fuh bague Buh Wolf. Buh Rabbit, him berry lub fuh tief, an eh mek eh plan fuh git some er dat butter.

Buh Wolf an Buh Rabbit done gone der fiel an tun een fuh wuk. De sun hot, an befo long Buh Rabbit biggin fuh drap behine. Den all ob er sutten eh trow down eh hoe, an eh look way off, an eh cock up eh yez, an eh holler out: "Me yeddy you. Me duh comin." Buh Wolf, him tun roun, an eh say: "Buh Rabbit, wuh you duh do? You mus be der tun fool. Nobody duh call you." Buh Rabbit, him mek answer: "Somebody yiz bin er call me, an me know who dem yiz, an wuffer dem duh call me. Enty you sabe me duh preacher? Well, me prommus fuh bactize er chile dis berry hour, an me mus go fuh keep me pintment." "Berry well," answer Buh Wolf, "dont you loss no time, fuh dis crap want wuk berry bad."

Buh Rabbit hop off luk eh bin gwine in anarruh direction from dat wuh lead to Buh Wolf house. Wen eh git een de wood, eh slip roun onbeknowinst ter Buh Wolf, an gone een him house and eat hebby outer de pan er butter. Eh wipe eh mouf, an eh sukkle back tell eh git ter de place een de fiel way eh bin leff eh hoe. Eh seem berry merry, an wen Buh Wolf ax um ef he done bactize de chile, eh say yes. Den Buh Wolf ax um wuh dem bin name de chile, and Buh Rabbit tell um say dem bin call um *Fus Biginnin.*

Buh Wolf an Buh Rabbit wuk on. Dem binner hoe tetter. De butter sweeten Buh Rabbit. Him couldnt stop from tink topper um. Eh biggin fuh want mo. De mo eh study bout um de slower eh wuk. Buh Wolf call ter um an tell um fuh hurry. Buh Rabbit mek answer an say eh yiz duh hurry. Bless you soul! een a little while Buh Rabbit, him drap eh hoe an eh holler out: "You right; me bin mose furgit; me

comin right off." Buh Wolf, him stonish,
an eh say: "Buh Rabbit, you must be loss
you sense ; who you duh holler teh ? Nobody
duh call you." Buh Rabbit mek answer:
"Somebody yiz bin a call me. Enty you
yeddy um?" Buh Wolf say: "No, me no
yeddy." Den Buh Rabbit up an tell um
say eh hab gagement fur bactize nurrur chile
at dis berry hour, an eh mose bin furgit bout
um tell eh murrer an eh farruh holler ter um
outer de wood an member um. Buh Wolf
mek jection gainst Buh Rabbit gwine, but
wen Buh Rabbit tell um de chile gwine loss
ef eh no git bactize, Buh Wolf lem go.
Buh Rabbit do dist iz eh bin done befo. Eh
gone een Buh Wolf house, eh tek down de
pan gen, an eh eat mona half de butter.
Wen eh ketch de fiel, Buh Wolf ax um ef
eh done bactize tarruh chile, an eh answer
eh yiz. Buh Wolf say: "Duh him duh gal
er boy?" Buh Rabbit mek answer say:
"Him duh gal." "Wuh eh name?" ques-
tun Buh Wolf. "*Half-way*," answer Buh
Rabbit.

Dem wuk on tel de sun biggin fuh lean
een de wes. Buh Rabbit still duh study
bout dat butter. Eh yent willin fuh go ter
eh home an leff any behine. So een de tree

hour eh pit eh han up ter eh yez an eh
listne. Den eh holler out de turd time, an
eh say: "Go on, me duh comin." Buh
Wolf ax um. "Way you duh gwine now?
Enty you done bactize chillun?" Buh Rab-
bit tell um eh hab one mo fuh bactize befo
sun down, but eh wunt tek um long becase
eh lib close by. Den Buh Rabbit slip roun
ter Buh Wolf house an clean up de las er
de butter. Eh yent leff one grain een de
pan.

Wen eh git back Buh Wolf say: "You
bactize dat chillun een er hurry; wuh eh
name?" Buh Rabbit up an tell um say eh
name *Scrapin er de bottom.* Buh Wolf,
him nebber bin spicion wuh Buh Rabbit bin
up teh. De time come fuh knock off wuk,
an wen Buh Wolf want fuh dock Buh Rab-
bit fuh de time eh loss wen eh bin gone fuh
bactize dem tree chillun, Buh Rabbit plead
so harde case him bin preacher, dat Buh
Wolf, him furgib um an pay um eh full
wager. Den eh inwite Buh Rabbit fuh come
long um an tek supper wid um. But Buh
Rabbit scuse ehself, an light out fer him
house, an leff Buh Wolf een de fiel. Buh
Rabbit berry scheemy. Eh know say ef eh
did bin gone home wid Buh Wolf eh would

er see eh track, an fine out who eat eh butter, an dat eh would er lick um.

———+———

## XXV.

### DE EAGLE AN EH CHILLUN.

De Eagle, him duh er wise bud. Eh mek eh nes on one tall pine tree close de ribber, er de sea, way nuttne kin git at um. Eh saterfy wid two chillun. Eh tek good care er um. Ebry hour eh fetch um snake an fish, an eh garde um from win an rain an fowl-hawk, an mek um grow fas. Wen eh wing kibber wid fedder an eh strong nough fur fly, wuh Buh Eagle do? Eh wunt leff dem chillun een de nes fuh lazy an lib pon topper eh farruh an eh murrer, but eh tek um on eh wing, an eh sail ober de sea, an eh tell eh chillun: "De time come fuh you fuh mek you own libbin. Me feed you long nough. Now you haffer look out fuh youself." Wid dat, eh fly from onder dem, an de noung bud, wen eh fine out eh murrer yent gwine cahr um no furder, an dat dem haffer shif fuh demself, dem try eh wing an sail off een de element duh hunt bittle.

People orter tek notus er Buh Eagle an do jes es him do. Wen you chillun git big nough fuh wuk, mek um wuk. Dont leh um set bout de house duh do nuttne, an duh spek eh farruh an eh murrer fuh fine bittle an cloze fuh um. Ef you does, you chillun gwine mek you shame, an eh will tun out berry triflin. Eh will keep you dead po, too.

Do same luk Buh Eagle. Mine you chillun well wen dem leetle ; an soon dem big nough fuh wuk, mek um wuk.

----·----

## XXVI.

### CHANTICLEER AN DE BAN-YAD ROOSTER.

You nebber bin see er finer bud den Buh Chanticleer. Eh fedder eh glisten same luk silber een de sun. Eh step so high, an eh yent faid nuttne. Wen eh crow you could yeddy um all tru de settlement. De hen all lub um, an run ter um wenebber him call. Eh can lick all dem tarruh rooster ; an jist es soon es eh mek motion at dem, dem run.

Befo eh bin fine um out fuh true, day bin er big yaller Rooster een de gang wuh try

fuh spute Buh Chanticleer, an mek eh brag
say eh kin lick um. Dem fight. De big
yaller Rooster couldnt tan up befo Buh
Chanticleer. Eh gaff um, eh pick um een
eh back, eh knock um ober, an eh run um
out de yad.

Arter dat, de yaller Rooster faid fuh come
nigh Buh Chanticleer. Eh run ebry time
eh see Buh Chanticleer duh walk towuds
um, but eh hab a way fuh debble Buh Chan-
ticleer. Eh go way off, an ebry time eh
yeddy Buh Chanticleer flap eh wing an
crow, him do de same. Soon a mornin wen
Buh Chanticleer crow fuh day, de big yaller
Rooster, him crow too. De ting bodder Buh
Chanticleer, an eh want fuh kill um. Eh
try hard fuh fine out way eh roose. One
day one er de hen wuh blanks ter Buh
Chanticleer fambly mek um sensible jist
way de yaller Rooster blan roose. Den Buh
Chanticleer, him sen fuh Buh Fox. Eh
come, an Buh Chanticleer ax um say:
"You want one fat Rooster fuh eat?" Buh
Fox, him answer: "Yes, me berry glad fuh
git um, an heap er tenky ter you too."

Den Buh Chanticleer tell um fuh come de
fus moon-shiny night, an him will show um
way eh kin git a good supper. Buh Fox

happy, an eh prommus fuh come. Eh did
come de fus moon-shiny night, an Buh
Chanticleer gone long um an pint out de big
yaller Rooster duh sleep een one low cedar
tree. Buh Fox creep up easy, an graff um
an eat um. Wen eh done eat um, an eh
duh lick eh mout, Buh Chanticleer ax um:
"How you luk um?" Buh Fox mek an-
swer: "Me luk um berry well. Eh bin fat.
Eh meat sweet. Me luk um summuch me
want mo." Wid dat, an befo Buh Chanti-
cleer kin mek out wuh eh tend fuh do, eh
jump pon topper Buh Chanticleer, an mash
um ter det, an eat um up.

Wen you want somebody fuh do you sar-
bis, call pon you fren, but dont trus you
eenemy fuh done um.

---

## XXVII.

### BUH RABBIT AN DE GROUN-MOLE.

Day nebber bin a man wuh kin equel Buh
Rabbit fuh mek plan fuh lib offer tarruh
people bedout wuk isself. Groun-mole, bin
berry tick. On ebry side dem bin er root
up de tetter patch, and stroy pinder. No-

body know how fuh ketch um, case eh wuk
onder de groun, and wen you go fuh fine um
eh yent dedday.

Buh Rabbit, him see eh chance, an eh tell
ebry body him know how fuh stroy um. De
ting come ter Buh Wolf yez, an eh sen fuh
Buh Rabbit. Buh Rabbit gone ter Buh
Wolf, an eh tell um yes, him hab plan fuh
clear de fiel er Groun-mole, an dat him
wunt charge Buh Wolf nuttne but him
boad an lodgment wile him duh ketch an
kill de Groun-mole. Buh Wolf, him say
Buh Rabbit berry kine, an eh gree fuh fine
um. Den Buh Wolf hab one nice bed mek
up fuh Buh Rabbit, an eh tell eh wife fuh
feed um well.

Buh Wolf hab some bidness wuh call um
way from home, an eh spec fuh gone
bout one week. Eh leff Buh Rabbit fuh
clean de Groun-mole outer eh fiel, an den eh
gone. Buh Rabbit, him well saterfy. Ebry
mornin, arter brukwus, eh mobe off luk eh
bin gwine ter Buh Wolf fiel, an nobody
shum tel dinner time. Arter eh done eat
er hebby dinner, eh gone gen tel supper
time, wen eh come back an eat er hebby
supper, an den eh leddown der bed.

Nobody kin see any Groun-mole wuh

Buh Rabbit der ketch, but eh tell Buh Wolf
wife dat eh bin er kill heap er dem ebry
day, an dat eh gwine soon clear de fiel. De
ting gone on dis way tel Buh Wolf tun
home. Wen eh retch eh house eh quire
bout Buh Rabbit, an eh wife tell um wuh
Buh Rabbit bin er say an er do, an dat Buh
Rabbit gone der fiel dist arter brukwus. Buh
Wolf say him gwine see fuh ehself wuh
Buh Rabbit duh do, an wuh plan eh fix fuh
ketch de Groun-mole.

Wen eh git der fiel eh look up an down,
an eh yent see no sign er Buh Rabbit. Eh
notus eh crap, an de Groun-mole duh eat
um wus den nebber. Eh sarche fuh Buh
Rabbit track, an eh cant shum no way.
Buh Wolf mek up eh mine dat Buh Rabbit
yent do de fus ting een de fiel. De sun hot.
Buh Wolf gone een de edge er de wood, an
day eh come pon topper Buh Rabbit tretch
out een er bed wuh eh bin mek outer pine
straw onder one tree, fas tersleep. Eh yent
bin study bout Buh Wolf, er de Groun-mole
wuh bin er bodder de fiel. Buh Wolf slip
up, an eh graff um tight. Buh Rabbit so
skade eh furgit fuh lie, an Buh Wolf mek
um confess eh yent know how fuh ketch
Groun-mole, dat eh nebber did kill none, an

dat eh bin lib offer Buh Wolf bittle ebber sence eh leff.

Buh Wolf, him so bex eh git grape wine an eh tie Buh Rabbit han an foot, an eh lick um tel eh tired. All dis time Buh Rabbit bin er holler an er bague. At lenk Buh Wolf loose um, an run um offer de place.

Eh yent offen Buh Rabbit ketch at him trick, but eh meet eh match dis time.

———◆———

## XXVIII.

### BUH RABBIT AN DE ROCK-SOUP.

Anurrer way Buh Rabbit hab fuh mek eh libbin bedout wuk bin dis. Eh hab een eh pocket er pooty, smoode rock, bout de size ob er tukrey agg. Wid dem people wuh no quaintun wid um eh pass ehself off fuh er fus-class cook, an eh tell um say eh hab one rock wuh mek pruppus fuh gie soup de bes tase; an dat de soup wuh mek long dat rock sweeter den all edder soup.

Eh gone ter Buh Bear house, an Buh Bear hearky ter um, an gage um fuh mek some soup long eh rock. Buh Rabbit pit on de pot, an eh bile water een um long de

stone.   Den eh call fuh meat, an wegetable,
an all kind er seaznin, an eh stir um an eh
cook um all togerrur, an eh did mek er nice
soup.   Eh fool Buh Bear, an eh mek um
bliebe say eh bin de rock wuh gib sich er
rich flaber ter de soup, wen de fac bin say
de rock yent hab nuttne fuh do long um, but
de tarruh ting wuh gone een de pot, dem
duh de ting wuh mek de soup.   Buh Rabbit
git big dinner at Buh Bear house dat day.

Anurrer time, wen eh bin berry hongry,
eh gone ter Buh Cooter house, an eh fool um
same fashion, an eh git er hebby dinner day
too.

Eh do dis way fuh some time, guine from
house teh house.

At lenk eh miss an gone ter Buh Fox
house, an tell um bout eh rock-soup.   Buh
Fox, him no fool.   Him duh er smate man,
an eh see tru de ting right off.   But eh yent
leh Buh Rabbit see dat eh spicion anyting,
an eh tell um fuh go head an mek eh soup.
Eh han out wuhebber Buh Rabbit call fuh,
an eh wait topper um tel de soup done.
Den eh tase um, an wen eh fine eh tase same
luk any edder soup mek long de ting wuh
eh han Buh Rabbit fuh pit een de pot, eh
tek Buh Rabbit rock, an eh trow um down

de well, an eh cuss Buh Rabbit fur er swin-
dler, an mek um shame befo all eh fam-
bly, an mek um leff.

Buh Rabbit an Buh Fox, bofe er dem
berry cunnin, but dis time Buh Fox him
cunnin moner Buh Rabbit.

---

## XXIX.

### DE TWO FREN AN DE BEAR.

Two fren, dem bin a mek one journey to-
gerruh. Dem haffer go tru one tick swamp
wuh full er bear an edder warmint. Dem
prommus fuh tan ter one anurrer, an help
one anurrer out ef de warmint should tack
dem. Dem yent bin git half way tru de
swamp wen one big black Bear jump outer
de bush an mek fur dem. Steader one er
dem tan fur help fight um, eh leff eh fren
an clime one tree. De tarruh fren bin yeddy
say Bear no gwine eat dead people, so him
leddown on de groun, an hole eh bref, an
shet eh yeye, an mek out say him bin dead.
De Bear come up ter um, an smell um, an
tun um ober, and try fuh ketch eh bref.
Wen eh fine eh cant ketch eh bref, eh gone

off leely way an eh watch um. Den eh tun
back an smell um gen, an notus um close.
At lenk eh mek up eh mine say de man bin
dead fuh true; an wid dat eh leff um fuh
good an gone back der wood. All dis time
de tarruh fren duh squinch ehself up een de
tree duh watch wuh bin gwine on. Eh dat
skade eh wunt do nuttne fuh help eh fren,
er try fuh run de Bear off.

Wen eh fine de Bear done gone fuh sho,
eh holler ter him fren say : " Wuh de Bear
bin tell you? Him an you seem luk you
bin hab close combersation." Den eh fren
mek answer: "Eh bin tell me nebber fuh
trus nobody wuh call ehself fren, an wuh
gwine run luk er coward soon es trouble
come."

---

## XXX.

### DE OLE MAN AN DET.

One Ole Man bin berry tired long wuk.
Him want fuh stop an tek eh pledjur all day
een him house. Eh bex long de Buckra
wuh gie um task, an mek um ten ter um.
Eh constant duh pray, so people kin yeddy
um, dat Det would come an cahr way eh

Mossa, an eh Mistis, an de Obersheer. De
Obersheer him yeddy wuh de Ole Man bin
a pray fuh, an eh tell de Mossa, an dem fix
plan fuh hab fun long de Ole Man. Wen
night come, an ebryting on de plantation
done gone bed, de Mossa, him tek one long
white gown wuh ketch down ter eh foot, an
eh pit um on, an eh gone ter de Ole Man
house. Eh push de do open, an day bin de
Ole Man duh siddown on eh bench duh nod
by de fire. De Ole Man yeddy say some
body come ter him do, an wen eh tun roun
fuh look, eh see one tall somebody all wrop
up head an yez een white. Eh git skade,
an tink duh Sperit. Eh quire: " Who duh
dat?" De Sperit, wuh bin de Mossa dress
up een de white gown wuh kibber um all
ober, mek answer way down een him troat:
" Duh me, Det, wuh you bin a pray fuh."
Den de Ole Man say: " You come fuh
Mossa?" De Sperit shake eh head. Eh
say gen: " You come fuh Mistis?" De
Sperit shake eh head gen. De Ole Man
quire gen: " Den you musser come fuh de
Obersheer?" De Sperit shake eh head gen.
De Ole Man rale skade now, an eh study fuh
leely while, an den eh questun gen: " Ef
you no come fuh Mossa, ner Mistis, ner de

Obersheer, who de Debble you come fuh?"
Den de Sperit, eh bow eh head low an eh
mek answer: "Me come fuh you." De Ole
Man hair rise. Eh git up. Eh bus tru de
back do. Eh run tru de gaden, an eh mek
fuh de wood. Nobody yent shum tel arter
brukwus next mornin, an den eh tell ebry
body say Det bin come fur um last night,
but dat him bin dodge um. Arter dat no-
body ebber yeddy um mek no mo prayer
bout Det.

---

## XXXI.

### DE KING AN EH RING.

One time dere was a King wuh bin done
git marry, an eh bin hab one fine Ring wuh
him bin call eh gagement Ring. Dat King,
him bin hab tree serbant wuh wait bout him
table, an clean him shoes, an do wuhebber
him want um fuh do. Dem bin tek tun
een clean de shoes. One clean um one
mornin, anurrur one clean um nex mornin,
an de edder one clean um de nex. One er
dem serbant tief de King Ring. De King
try fuh fine out which one er de tree bin tek
um, an eh fail. Dem wunt tell topper one

anurrur, an de ting bodder de King berry
bad. Eh faid say ef eh cant git back eh
gagement Ring all eh good luck gwine leff
um. Eh call een eh fren an wise man fuh
help um pint out de tief an fine dat Ring, an
dem cant.

One day de King notus er strange man
duh walk bout him gaden, an eh sen an hab
um brung ter um. Wen eh questun um, de
man tell um say him bin a po man, an dat
eh mek eh libbin by cunjur. De King tell
um eh bin dis de man eh duh hunt fur, an
eh want um fuh fine eh Ring. Eh mek um
quaintun bout wen de Ring tuk, an who eh
tink tief um ; an eh say eh gwine gie um fibe
day time fuh pint out de man wuh bin tek
de Ring, an mek um tun um. Mo na dat,
eh prommus um big money ef eh git back
de Ring widin de fibe day ; but eh treaten
um fuh kill um ef eh fail fuh fine um een-
side dat time. Eh charge eh serbant fuh
tek good care er de conjur man, an feed um
high.

De rale name er dis cunjur man bin
*Robin*, but him yent bin gib dis name ter
de King.

De cunjur man try fuh fine out de tief,
but eh miss. Four day gone, an de Ring

yent fine. De cunjur man, him berry sad, an eh faid say eh gwine fail, an de King gwine tek eh head off.

De mornin ob de fibe day de King git up soon, an pledjur ehself by tek er walk een eh gaden. Wile eh duh tan onder one berry tree, one robin-red-bres, wuh bin er eat de berry, choke an fall der groun. De King pick um up, an eh dead in eh han. Den eh tek um, an wrop um up een eh henkerchef, an pit um een eh hat. Eh sen fuh de cunjur man, an eh tell um eh time mose out, an dat ef eh no fine de Ring by sundown eh gwine kill um. Eh say ter um, moöber, dat eh doubt um, an dat eh yent bliebe eh kin cunjur none tall; dat ef eh kin cunjur eh mus tell um right off wuh eh got een him hat. De cunjur man so skade eh yent say nuttne cept pity ehself, an say: "Po Robin! Po Robin!" De King tek um say eh bin mean de bud, an eh confidance rise, an eh mek answer: "You right, me yiz hab one robin een me hat; an becase you tell true, me gwine gie you six day mo fuh fine out who tief de Ring." De cunjur man rale glad, an de ting mek de King an all eh fren an de serbant bliebe say eh kin cunjur fur true. De tree serbant wuh bin een cohoot fuh tief de Ring,

an wuh bin know all bout um, biggin fuh
faid say dem bin gwine fuh git fine out.

De nex mornin, wen one er dem serbant
come down wid de King shoes, de cunjur
man pint eh finger at um an eh say : " You
duh one er de tief." De man look condemn,
but eh mek answer, say : " Him yent." De
nex mornin wen de tarrur serbant fetch de
King shoes down fuh clean um, de cunjur
man pint him finger at um an eh say : " You
duh nudder one er dem tief." De man rale
skade, but eh schway say him yent know
nuttne bout de Ring. De nex mornin wen de
edder serbant duh clean de King shoes, de
cunjur man gone up ter um an pint eh finger
right een eh face, an eh say : " You duh de
tird man wuh know bout dis Ring an help
fuh tief um." De man yeye fall, but him
wouldnt confess.

Dat same ebenin all tree dem serbant, dem
come ter de cunjur man an fetch de Ring,
an confess say dem been tek um, an dem
bague de cunjur man fuh fix plan fuh clear
dem. Him so glad him git de Ring him
prommus fuh do dist as dem say. So eh
tell dem fuh fetch one big tukrey-gobbler
ter um. Dem gone an ketch de biggis een
de gang, an brung um ter de cunjur man.

Eh tek de Ring an eh mix um long corn-flour, an eh poke em een de tukrey-gobbler craw. Den eh mark de bud so him kin know um gen, an eh tun um loose.

De cunjur man, him gone right off ter de King, an eh tell um say him kin pint out way de Ring day. De King, him berry glad, an eh collec all him fren fuh see de cunjur man pint out de Ring. Wen dem all gedder, de conjur man, him axe de King fuh hab all him tukrey dribe befo um. De King him do so, an as de tukrey bin er walk pass, de conjur man pint out one big tukrey-gobbler an tell de King say him hab de Ring een him craw. Wid dat, de King mek one er him serbant ketch de gobbler an rip open eh craw, an day, sho nuff, was de Ring. De King, him bin so rejoice eh gib high praise ter de cunjur man, an eh gie um big money, an mek um rich. De tree serbant too, wuh bin de tief, dem so happy cause de cunjur man yent spose dem ter de King dat dem mek present ter um too, an bin eh fren all dem life.

## XXXII.

### BUH LION, BUH RABBIT, BUH FOX, AN BUH ROCCOON.

Buh Lion, him bin keep er bank. Een dat bank him hab chicken, en hog, en sheep. Buh Fox, him marry ter Buh Coon darter. Buh Fox farruh-een-law, him bin er rogue. Buh Coon an Buh Rabbit mek er plan fuh rob Buh Lion bank, an dem usen fuh tek ting outer um ebry now en den, an nobody kin fine out who duh de tief. Buh Fox, Buh Rabbit, an Buh Coon, dem day fas fren, an dem constant keep compny. Buh Rabbit him tell Buh Lion, say him know de man wuh duh rob him bank, but eh yent want talk eh name, an eh vise Buh Lion fuh set steel trap fuh ketch de tief. Buh Lion do es him say, an de nex night, wen Buh Coon, Buh Fox, an Buh Rabbit gone fuh rob de bank gen, Buh Coon, him walk topper de trap an eh ketch um by eh foot. De ting broke Buh Coon leg, an eh hot um berry bad, but eh faid fuh holler, case, ef eh did holler, eh know Buh Lion gwine run day an kill um. So eh leddown an moan, an beg eh fren fuh help um. Buh Fox an

Buh Rabbit, dem study ober de ting, an dem mek up dem mine say ef Buh Lion fine Buh Coon een de trap, eh not only gwine kill Buh Coon, but eh will sen an kill all eh fambly. Den dem conclude dat de bes ting fuh do bin dat Buh Fox — wuh bin him son-een-law — mus tek one swode an chop Buh Coon head off an bury um, an dat eh skin Buh Coon an bury eh hide an eh cloze, an leff Buh Coon nekked een de trap, so nobody kin tell who bin ketch.

Buh Fox, him do es dem gree. De nex mornin wen Buh Lion zamine eh trap, eh fine de tief done ketch. Eh call een eh fren fuh consult, but es de body done strip, an eh head done cut off an gone, nobody could mek up eh mine who de tief bin. Buh Lion, him say him gwine fine out who de tief yiz, an who de man wuh cut eh head off an skin um.

Buh Rabbit, him come up bout dis time, an him swade Buh Lion fuh sen fuh one cart, an pit de dead body een um, an leh one er eh han heng ober one side er de cart, an gedder him soldier an pit one gang on de leff han side an de tarruh gang on de right han side, an mek de music go befo, an leh dem all march down de middle er de street

een Buh Lion town all de lenk er de street;
an ef de soldier yeddy anybody duh scream
an duh cry een any one er de house, den
de soldier mus go ter dat house an kill ebry
body wuh lib day, case dat mus be de fam-
bly er de tief. Buh Lion, him well please,
an him gie order, an hab de ting done jes es
Buh Rabbit bin plan.

Wen de compny bin er march wid de
dead body er de tief een de cart, jes es dem
come befo de do er de house way Buh Fox
lib, wuh bin marry Buh Roccoon darter, him
wife bin er look outer de winder, an eh see eh
pa han duh heng ober de side er de cart, an
eh know um, an eh holler an scream an fall
down an faint way. Den de soldier wuh bin
on de right han side er de cart, dem run ter
de house way dem yeddy de screamin an de
hollerin, an dem bus een de do an gone een
fuh kill de whole fambly. Buh Fox, wen eh
see wuh happne, tek one knife an eh cut off
one er him finger, an eh run to de do, an eh
meet de soldier, an eh show um eh han der
bleed, an eh tell um say eh bin dis loose
one er eh finger, an eh wife dat scade wen
eh see wuh happne ter um, dat eh holler
an faint way. So Buh Fox fool de soldier,
an dem gone back an jine de compny an

march on.   Dat night dem camp een de en
er de street, an halfer de soldier bin on one
side de cart, an tarruh half bin on tarruh
side duh guade de body er de tief wuh head
cut off.

Wen Buh Fox wife come teh, eh spicion
say Buh Fox bin know who kill eh pa, —
wuh bin Buh Roccoon, — an eh tell eh hus-
bun, Buh Fox, say ef eh dont git eh pa body
an bring um ter um dat berry night, eh gwine
tell Buh Lion him bliebe de one wuh cut eh
farruh — Buh Coon — head off an hide
um, duh eh own husbun, — Buh Fox.   Buh
Fox tell um say him yent know nuttne bout
de ting, an eh try fuh swade um no fuh go
nigh Buh Lion.   Wen eh fine eh wife mine
done mek up, an no way fuh him fuh git
out cept fuh fetch Buh Coon body ter eh
wife, eh gone ter Buh Rabbit fuh vise um
an fuh help um.   Buh Rabbit, him yeddy
all wuh Buh Fox hab fuh say, an den eh
say : " Me tell you wuh you do.   To-night
gwine cole.   Dem soldier duh camp der
street, an dem yent hab no fire.   Dem berry
lub rum.   Bout middle night you tek you
horse an you paint one side er um white,
an de tarruh side er um black.   You cahr
two jug er rum, an you ride ter de camp,

an you gie one jug ter de gang er soldier
wuh day on de right, an de edder jug ter
de tarruh gang wuh day on de leff, an wen
dem drunk you kin tek Buh Coon body
outer de cart an cahr um home."

Buh Fox, him wrop him head an yez up
so nobody kin know um, an eh paint eh horse
one side white an tarruh side black, an eh tek
eh two jug er rum an eh ride ter de camp,
an eh do dis es Buh Rabbit bin tell um fuh
do.  De soldier, dem berry glad fuh git de
rum.  Dem tink two man fetch um, — one
duh ride er white horse, an de edder duh
ride er black horse.  Dem drink tell dem
drunk, an den Buh Fox slip way wid Buh
Coon body ter eh wife house, an him an eh
wife bury um een de gaden same night on-
beknowinst ter ebry body.

De nex mornin wen de soldier wake up,
de cart day day, but de body done gone.
De soldier wuh camp on de leff, dem say de
man wuh ride on er white horse mus er tief
um ; an de soldier wuh camp on de right,
dem say de man wuh ride on er black horse
him mus er tief um.  So Buh Fox cuhfuse
dem two gang er soldier, an dem nebber did
fine um out.

Buh Rabbit, him scheemy mona all dem

tarruh cretur. Him do all dis, an yet him stay fren wid Buh Lion, Buh Fox, an wid Buh Coon fambly.

———◆———

## XXXIII.

### BUH RABBIT, BUH WOLF, AN DE PORPUS.

Ebber sence dat time wen Buh Wolf ketch Buh Rabbit duh tief water outer him spring, an eh bin tie um ter de spakleberry bush an lick um, Buh Rabbit hate Buh Wolf an mek plan fuh git eben wid um.

Dem all two lub fish. Buh Rabbit an Buh Porpus bin good fren, an many er time Buh Porpus blan gie Buh Rabbit some er de fish wuh him der ketch. One day, Buh Porpus, him bin berry lucky een eh fishin, and eh fetch fuh Buh Rabbit mo ner two quart er gannet mullet, and blow um on de bank way Buh Rabbit kin git um dout wet eh foot. Buh Rabbit, him tell um heap er tenky, an eh cahr um ter him house. Befo eh part compny wid Buh Porpus, eh tell um how Buh Wolf bin ketch um an tie um an lick um, how eh bex long Buh Wolf, an how eh want Buh Porpus fuh help um fuh punish

Buh Wolf. Den dem mek plan lucker dis: Buh Porpus bin fuh come back ter de same place nex day an leh Buh Rabbit tie grape-wine roun um, so Buh Wolf kin pull um outer de water fuh eat um. Wen Buh Wolf tek eh holt fuh pull Buh Porpus outer de water, den Buh Porpus wus teh mek eh flut an juk Buh Wolf een de ribber an drown um. So dey gree, an Buh Rabbit gone home long eh fish.

Wen eh git ter eh house eh sen one er him gal to Buh Wolf house fuh tell um him hab some nice fish, an ter eenwite Buh Wolf an him fambly fuh tek brukwus long um nex mornin. Buh Wolf, him well please, an eh say him an eh fambly gwine come wid pled-jur.

Dem did come. De fish sweet. Buh Wolf, him an eh wife an eh chillun joy um berry much. Buh Wolf ax Buh Rabbit way eh git de fish, an Buh Rabbit tell um say him fren, Buh Porpus, blan ketch um fur um, an dat him hab er pintment dat berry day wid Buh Porpus. Buh Wolf bague Buh Rabbit fuh leh him go long too, an see ef him couldnt mek rangement wid Buh Porpus fuh fine him een fish. Buh Rabbit say him willin; so dem finish brukwus an gone fuh meet Buh Porpus.

Es dem duh gwine Buh Rabbit tell Buh Wolf say Porpus meet berry nice, an eh tink mebbe dem kin ketch Buh Porpus an eat um. Buh Wolf quire: "How you gwine do um?" Den Buh Rabbit, him mek answer: "Me tell you how we gwine wuk dis ting. Me good fren ter Buh Porpus, an wen we git ter de ribber bank me gwine tell Buh Porpus leh we hab er game, an see who kin pull de strongis. Den we will tek er grape-wine an tie um roun Buh Porpus head, an you an me will tek turrer een, an we sholy kin drag Buh Porpus outer de ribber; an wen we git um out eh gwine dead, an we will hab heap er bittle fuh eat." Buh Wolf, him no bin know de plan wuh Buh Rabbit aready done fix wid Buh Porpus, an so eh gree ter all wuh Buh Rabbit bin say.

Wen dem git ter de ribber bank, day was Buh Porpus duh wait fur Buh Rabbit. Buh Rabbit mek um quaintun wid Buh Wolf, an arter er while Buh Wolf ax Buh Porpus fuh fine um een fish same luk eh fine Buh Rabbit, an Buh Porpus gree fur do so. Den Buh Rabbit, him say: "Leh we hab some fun, an see who kin pull de strongis: Buh Porpus genst me an Buh Wolf." Buh Porpus say him willin. Wid dat, Buh Rab-

bit git one long grape-wine, an eh tie one
een roun Buh Porpus head, an de tarruh een
eh tie fus roun Buh Wolf body, an den roun
him own; but eh leff de een loose, so him
kin slip out. Den eh gie de wud fuh pull.
Es eh done dat eh slip outer de wine, an leff
Buh Wolf lone fuh pull genst Buh Porpus.
At de fus, wen Buh Porpus ease isself off
een de ribber, eh pull sorter light, an den
eh gie way, and Buh Wolf, him tought him
gwine outpull um. But een er leely while
Buh Porpus sorter hump eh back an flut eh
tail, an yuh Buh Wolf come fuh de water.
Eh dig eh paw een de san, an eh holler ter
Buh Rabbit fuh tun um loose; but Buh
Rabbit wouldnt tetch um, an so Buh Porpus
drag um, duh scuffle an duh holler, clean
een de ribber an onder de water, an drown
Buh Wolf. Arter dat Buh Porpus swim
back ter de bank an Buh Rabbit tek off de
grape-wine from roun eh neck, an dem leff
Buh Wolf een de water fuh shark an alli-
gatur fuh eat.

Buh Rabbit an Buh Porpus done Buh
Wolf er mean trick.

## XXXIV.

### DE DEBBLE AN MAY BELLE.

De Debble, him kin tek all sorter shape fuh cahr out him plan an fool people. Sometime eh mek isself inter wolf fuh kill you sheep. Narruh time eh tek de shape er alligatur fuh worry you duck an goose. Den eh look lucker white deer, an eh fly tru de wood, dout mek no noise, fuh skade people duh walk long de big road. Den eh come same lucker owl, an eh holler down you chimbly an eh tarrify ebry body wen dem duh tun flour een de pot. Den wen you sick, eh gone eensider you lucker a wurrum, an eh gie you all sorter misry. Den gen, eh kin tek de shape er man, en pass isself off fur great gentleman long de lady. Day yent nuttne wuh de Debble cant do ef eh mek up eh mine ter um.

One time day was a berry pooty noung ooman name May Belle. Him farruh bin rich, an eh dress um up ter de notch, an eh gie um saddle horse fuh ride, an carriage fuh dribe, an plenty er serbant fuh wait on um, an ebry good bittle fuh eat, an rockin-chair fuh set een, an orgin fuh play topper.

All de noung man een de county bin er cote um an er try fuh marry um.

One day one strange man come fuh wisit um. Eh dress up better ner all dem tarruh gentlemans. Eh hab on new beber hat, wuh shine lucker glass, an eh hab side whisker comb so nice, an glub on eh han, an new cloze, an eh dribe up een er fine carriage wid four horse, an de driber hab er keen lash wuh pop so clear you could yeddy um way down de road.

De noung lady tek wid um right off. Eh hab sich er good manners, an eh talk so perlite, an eh ack so rich, ebry body gie way ter um, an eh outshine all dem tarruh Buckra wuh bin er cote de gal, an eh marry um befo de week out, an eh tek um een eh carriage, an eh dribe um off ter him house. Dat house bin een er deestant part er de country, buil on er hill. Nobody bin lib close. Eh bin de fines house een de whole settlement. Eh hab piazza all roun an roun, an eenside ebry ting look berry nice an pooty.

Wen dem dribe up ter de step, de Debble, wuh bin de husbun, han eh Bride een de pahler, an set um een one rockin-chair, an tell um de whole house blanks ter um, an eh mus mek isself saterfy an joy isself.

Ebry ting gone long berry well fur some time, an de noung wife hab ebry ting him call fur. One mornin, wen eh husbun leff de house fur ten ter eh bidness, an eh wife bin er ramble bout de room, eh fine one key duh heng up by isself. Eh wonder wuh key dat, an wuh do eh open. Eh tek um an eh try one lock arter anurrer, but de key wunt fit. Bimeby eh gone duh garret, an eh see one do up day wuh bin lock. Eh pit de key ter de hole an eh onlock de do, an wen eh open um lo! an behole! eh see een de closet tree noung ooman duh heng up long dem neck, an dem bin all dead. De ting skade de gal so bad eh scacely hab han fuh shet de do an lock um gen. But arter a while eh manage fuh do dat, an den eh mek hase an heng de key way eh bin fine um. De Bride faid fuh ax eh husbun bout de ting. All eh joy done gone. Eh want fuh git way, but him dunno how fuh do um. Eh yent hab nobody fuh truss fuh sen ter eh farruh an bredder fuh come an tek um way.

Eh husbun bin gen um one nice ridin horse fuh tek eh pledjur long ebry mornin an ebenin. De Debble so busy eh wife haffer ride by isself. De po gal yent say nuttne ter nobody bout wuh eh see een de

closet der garret. Eh hide eh feelin, but eh
berry onsaterfy een eh mine.

De nex mornin, wen eh bin er tek eh ride,
soon es eh git outer yearin, eh biggin fuh
cry, an fuh pity isself, an say eh wish eh bin
back ter eh farruh house, an talk eh mine
dat eh faid eh husbun, wen eh git tired long
um, gwine kill um an heng um long de tar-
ruh ooman wuh day een de closet duh garret.
Him no know de horse wuh him duh ride
bin a yeddy um, an duh notus wuh him duh
say. All ob er sutten de horse open eh
mout, an eh ax eh missis : " Enty you know
who you marry ter ? You husbun duh de
Debble, an wen eh saterfy long you eh gwine
bex wid you an kill you same luk eh done
kill dem tarruh wife wuh eh bin hab befo eh
bring you yuh." De po ooman dat skade
eh ready fuh fall off. Eh mose faint way.
Eh heart duh flutter een eh bres. All eh
strenk gie way. Eh cry. Eh gib up fuh
loss. Den eh bague de horse fuh pity um,
an help um, an tek um back ter him fambly.
De horse sorry fur um, an eh prommus fuh
try an sabe um, but eh tell um fuh keep eh
mout shet, an mek no rackit bout de ting.
Mo na dat, eh tell um, de nex mornin wen
eh come fuh ride, eh mus fetch een eh pocket

four big nail wuh day on de mantlepiece een
de Debble room, an dem will help um fuh
git way.

De po ooman tenk um berry much, an
dem gone back an nobody bin know bout dis
plan. De nex mornin wen de Debble, wuh
bin him husbun, leff de house an gone fuh
mine eh bidness, eh wife fine de nail dis es
de horse bin say, an eh pit um een eh pocket.
Den eh call fuh him ridin horse same luk eh
ebber done, an eh gone down de road fuh
ride. Soon es eh git outer de sight er de
house, de good horse eh men eh pace; an,
befo de middle er de day, eh tell eh missis
fuh drap one er dem nail een de road. Eh
missis did drap um, an right off one big
bank er san riz up clean cross de road, so
nobody could dribe ober. Wen night come
on dem drap anurrer nail, middle night
anurrer, an es de sun duh rise dem drap de
las one. Ebry time de nail drap, de big
bank er san rise up an shet up de road. De
horse run so fas eh retch de ooman farruh
house by brukwus time een de mornin. Eh
fambly stonish fuh see um, an wen eh tell
dem wuh mek eh come back, eh farruh an
eh bredder git dem gun fur shoot de Debble
ef eh come fuh tek de gal back.

Wen de Debble fine out say eh wife yent
come back from ride, eh biggin fuh spicion
someting; an arter dinner eh git een eh
carriage fuh hunt eh wife. Eh tek de big
road, an eh mek eh driber pit de lick ter de
horse, but eh cant see ner yeddy nuttne bout
eh wife. Bimeby eh come pon topper de fus
bank er san een de road, an den him bin
know right off wuh happne. Eh mek eh
horse grabble tru, an den eh dribe straight
fur eh farruh-een-law house. Eh blow eh
hot bref behine eh horse, an eh mek um run
lucker de win. Eh haffer stop fuh git tru
dem tarruh bank er san wuh de edder nail
bin mek, an so eh loss eh time an nebber
did obertek eh wife. Wen eh tun een de
abnue wuh lead ter eh wife farruh house, eh
see eh wife an all eh fambly day een de
piazza duh watch de road. Eh farruh-een-
law an eh bredder-een-law hab gun een dem
han. De Debble, him no faid gun, an eh
dribe right up, an eh ax eh wife wuh mek
um run way. Befo eh kin answer, eh tell
um fuh git right een de carriage an go back
home long um. Eh wife say eh wunt, an eh
hole on ter eh farruh. Den de Debble git
berry bex an schway say him gwine cahr um
any how. Wid dat, eh light outer de car-

riage an mek fuh de piazza fuh graff eh
wife. Eh farruh an eh bredder tell um fuh
tan back an leh de gal lone. De Debble
wunt yeddy dem, an es eh rise de step de
farruh an de bredder er de noung ooman
shoot de Debble long buck-shot. De shot
drap offer um dout hot um, an eh come
right on. Dist es eh bin guine tek de gal
eh change eh mine, an eh tun ter eh ole self,
wid eh forky tail, an eh claw, an eh bat-
wing, an eh owl yez, an eh blow fire outer eh
mout, an eh bun up eh wife, an him farruh,
an him murrer, an him bredder, an de house,
an ebry ting wuh day een um. Not a ting
leff fuh show way de house bin. Eh bun
up de horse too wuh bin help eh wife fuh
run way. Den eh change back ter de shape
er a man dist es befo, an eh git een him car-
riage, an eh dribe back ter him house same
luk nuttne bin happne.

"De Debble," added Daddy Cudjo, as he
concluded this story, "duh de wus ting een
dis wul an de nex. Me nebber gwine hab
nuttne fuh do long um. Me faid um wus
den rattlesnake; an dat ting wuh dem call
Hell, me nebber wan shum ner go nigh um."

## XXXV.

### DE OLE MAN AN DE COON.

One time er rich Buckra hab er senserble ole man serbant wuh come from Afreka. Dis ole nigger bin know ebryting bout ebryting. Nobody could tun um wid questun. Eh Mossa try um heap er time, an eh ebber did mek right answer. Eh fren try um too, an dem nebber ketch um duh miss. De Buckra brag heaby on de ole man, an berry offne eh win bet topper um. One day de Buckra man gen er big dinner, an eh eenwite heaper fren ter him house. Eh lay er wager say nobody kin ax eh ole serbant er questun wuh him couldnt answer, an eh gie eh fren lief fuh try de ole man any fashion dem want. De money pit up, an de fren call one boy, wuh bin er wuk bout de lot, an dem sen um der wood fuh ketch one coon. De boy gone wid eh dog. Wen dinner done ober, an de gentlemans duh set een de piazza duh talk, de boy come back wid er roccoon. Dem call fuh er barrel, an dem tek de coon an pit um een an head um up complete, so nobody kin see wuh day eenside.

Den dem sen fuh de ole Afreka nigger.

Eh bin er hoe cotton der fiel, an nobody bin tell um wuh mek dem sen fuh um. Eh come ; an den eh Mossa say : " Ole man, we sen fuh you fuh tell we wuh day een dis barrel." De ole man look at um, an walk roun um, an notus um close, an listne fuh see ef eh could yeddy anyting duh mobe. All de gentlemans duh watch um. Wen de ole man mek up eh mine eh couldnt fine out wuh day een de barrel, eh stop, eh study, eh cratch eh head, an den eh mek answer : " Mossa, hoona done head de ole coon dis time."

Eh no bin know say him bin er speak er true wud bout wuh bin een de barrel. Eh bin er talk bout ehself wen eh say dem bin head de ole coon dis time, but eh Mossa an de tarruh gentlemans no know, and dem all gie de ole man big praise. Eh Mossa win de bet, an eh share de silber money wid de ole man.

---

## XXXVI.

### BUH RABBIT AN DE CRAWFISH.

Arter Buh Wolf bin lick Buh Rabbit an trow um een de brier patch case eh ketch um der tief water outer him spring, Buh

Rabbit faid fuh meet Buh Wolf, an him leff an gone buil ehself new house een Buh Bear settlement. Buh Bear, him hab well, an steader Buh Rabbit fine him own water, eh blan slip ter Buh Bear well an tief water outer um. Buh Bear fine dis out, but Buh Rabbit so scheemy Buh Bear couldnt pit eh han topper um fuh ketch um. So eh git one big crawfish an eh pit um een de well, an eh tell um fuh gard de well, an fastne ebry-body wuh come day fuh tief water.

De nex time Buh Rabbit gone der well long him calabash fuh git some water, de fus ting eh know de crawfish grab um by eh tail. Buh Rabbit holler, an een eh pull way eh leff eh tail een de crawfish claw. An dat de way Buh Rabbit come fuh loss eh tail. Eh tail stumpy tel dis day.

---

## XXXVII.

### BUH RABBIT AN BUH ELEPHUNT.

You ebber notus say Buh Elephunt yez all de time duh heng down, an eh cant cock um up luk de tarruh creetur? Eh hinge to eh yez look luk eh broke. You know wuh mek so? Ef you yent know, lemme tell you.

Buh Rabbit an Buh Elephunt, dem blan ramble tru de same wood. Buh Rabbit, him lib offer de noung grass, an Buh Elephunt, him eat de tree limb. Dem bin quaintun wid one anurrur; an, weneber dem meet, dem nusen fuh pass de time er day. Buh Rabbit, him too leetle fuh Buh Elephunt fuh keep compny long.

Een de spring er de year Buh Rabbit bin mek eh nes onder one bush, an eh line um an eh kibber um ober complete long sofe dry grass. Eh hab tree leely chillun een dat nes. One day Buh Elephunt bin er hunt eh bittle, an eh gone miss an mash topper Buh Rabbit nes, an kill eh chillun. Buh Rabbit no bin day at de time, an wen eh git back eh fine eh nes done broke up, an all tree eh chillun squash flat. Eh see by de track say Buh Elephunt bin do dat. Eh gone right off an eh tackle Buh Elephunt bout um. Buh Elephunt mek answer an say him yent do um; him yent know nuttne bout um. Wen Buh Rabbit fine eh cant git no saterfaction outer Buh Elephunt, eh cut down, an eh berry bex, an eh mek plan fuh git eeben wid Buh Elephunt fuh de big damage wuh him bin done ter um an eh fambly.

Eh quaintun wid de place way Buh Ele-
phunt blan leddown fuh tek eh res; so eh
watch um, an wen eh done gone der bed, Buh
Rabbit, him slip back an eh call eh wife,
an dem gedder dry leaf an dead grass, an
dem tote um ter de spot way Buh Elephunt
duh sleep, an dem full all two Buh Ele-
phunt yez long de leaf an grass. Den dem
trike fire an clap um ter de dry grass an
leaf wuh dem bin pit een Buh Elephunt yez.
Eh blaze up. Buh Elephunt wake. Eh
couldnt mek out wuh happne. De ting big-
gin fuh bun um bad. Eh holler fuh some-
body fuh help um. Eh roll ober an try fuh
out de fire een eh yez. Eh tek eh trunk an
try fuh lick um out, but befo de fire done
out, eh bun de hinge er all two eh yez, so eh
couldnt liff um up no mo.

Dat de way Buh Rabbit tek eh rewenge
on Buh Elephunt case eh mash eh chillun,
an dat de reason huccum Buh Elephunt hab
flop yez tel ter-day.

## XXXVIII.

### BUH RABBIT, BUH WOLF, AN BUH POSSUM.

Buh Rabbit an Buh Wolf gone long de ribber bank fuh hunt Cooter āgg. Dem Cooter blan come outer de water wen de tide high, an dig hole een de san, an lay dem agg, an kibber dem ober so crow an ting cant fine um. Buh Rabbit an Buh Wolf come topper nough er Cooter nes, an dem gedder de āgg an share um equel. Dem pit um een bag, an es dem bin gwine home, de āgg so fresh an sweet, Buh Rabbit slip eh han een eh bag an onbeknowinst ter Buh Wolf eh suck all de āgg wuh bin fall ter him share befo dem retch de fork er de road way dem gwine part compny.

Buh Wolf tote all him āgg home, an gen um ter him wife. Eh yent bin een eh house berry long wen up come Buh Rabbit duh puff an der blow. Soon es eh ketch eh bref eh say : " Buh Wolf, wuh you bin do long dem Cooter āgg? Enty you fine out say dem spile? Me bin gib some er mine ter me wife, an eh gen um cramp colic right off. Me run all de way fuh tell you, so you kin sabe you fambly from sick."

Buh Wolf nebber spicion say Buh Rabbit bin er tell um lie, an eh tenk um berry much, an eh gone git de Cooter āgg an trow um way. Buh Rabbit notus way Buh Wolf bin trow de āgg; an soon es Buh Wolf gone back een him house, Buh Rabbit gedder dem up an tote um off een de bush, an seddown an biggin fuh eat dem dist es saterfy es kin be.

Eh so happne say Buh Wolf come pon topper Buh Rabbit duh eat dem Cooter āgg, an eh see right off how Buh Rabbit done fool um. Eh git rale mad, an eh mek eh jump fuh graff Buh Rabbit, but Buh Rabbit too quick fur um, an eh tek ter eh heel. Buh Wolf push um so tight eh mek um quit de groun an tek ter one pussimmon tree. Buh Rabbit so light eh gone out on one leely limb way Buh Wolf couldnt foller um ner retch um. Wen Buh Wolf fine out eh couldnt pit eh han pon topper Buh Rabbit fuh lick um, eh call ter Buh Possum, wuh bin hab house close by, an eh ax um fuh run day an watch Buh Rabbit tel him coulder git him ax fuh cut down de tree an ketch Buh Rabbit. Buh Possum come, an eh seddown onder de tree duh gard Buh Rabbit wile Buh Wolf gone fuh him ax.

Arter er while Buh Rabbit say : " Buh Possum, dem yer pussimmon berry sweet. Enty you want some ? " Buh Possum, him mek answer : " Yes, me Budder, me berry lub pussimmon, an me will glad fuh git some." Den Buh Rabbit tell um fuh step ter him house an fetch eh fanner fuh ketch de pussimmon es eh pick um an drap um. Buh Possum so anxious fuh tase de pussimmon eh clean furgit wuh Buh Wolf bin leff um fuh do, an so eh gone ter him house fuh git eh fanner. Soon es eh back tun, Buh Rabbit slip down de tree an lean fuh home. Wen Buh Wolf come wid eh ax, eh fine Buh Rabbit an Buh Possum all two gone. Eh dat bex eh dunno wuffer do. Een er leely wile yuh come Buh Possum duh tote he fanner. Buh Wolf questun um, an wen eh fine out how Buh Rabbit done fool um an git way, eh tun een an cuss Buh Possum an beat um. Eh tek a smart somebody fuh head Buh Rabbit.

## XXXIX.

### BUH RABBIT, BUH WOLF, AN DE HOLLER TREE.

Arter Buh Rabbit bin fool Buh Wolf bout dem Cooter āgg, an slip way from Buh Possum, eh faid fuh meet Buh Wolf, an eh walk berry skittish ebry time eh leff eh house. Buh Wolf bin on de keen look-out fuh um. One day dem meet. Buh Wolf, him say: "Haw! Budder, me got you now. You dodge me long time. Ebry man fuh isself." Wid dat eh tek arter Buh Rabbit. Buh Rabbit, him bin quaintun wid all de holler tree een de wood, an wen Buh Wolf push um close, eh jump een one er dem. Buh Wolf run up an eh say: "Me got you now. Come out an tek you lick, er me gwine bun you up een dis tree." Eh no bin know say narrur holler bin on tarruh side er de tree, an dat Buh Rabbit done run clean tru an gone. Wen eh couldnt yeddy nuttne from Buh Rabbit, Buh Wolf gedder fat pine tick, an eh poke um een de holler an eh pit fire ter um. De fire roll, an Buh Wolf feed um tell de tree bun down. Eh saterfy say Buh Rabbit done bun up, an eh gone home, an

eh mek eh brag ter him fambly say him
bin stroy Buh Rabbit.

Eh yent bin tree day arter dat wen lo
an behole! Buh Wolf meet Buh Rabbit
duh seddown een de big road, dist es content
es ef nuttne bin happne, duh leek isself.
Buh Wolf hail um an eh say: " Buh Rab-
bit, dat duh you? Enty me bin bun you up
tarruh day? Wuh you duh do duh leek
youself so happy an content?" Buh Rab-
bit, him mek answer: " Budder, dat holler,
way you bin try fuh bun me een, gone ter
de top er de tree, an eh bin full er honey.
De fire melt de honey, an eh run down an
kibber me all ober. Me yent done git um
all offer me tel now. You come tase me an
see how sweet me yiz." Buh Wolf so lub
honey eh furgit eh spite gainst Buh Rabbit,
an eh come up an eh tase um, an eh fine out
say honey bin all ober Buh Rabbit. Den eh
ax Buh Rabbit fuh show um one holler way
him kin git some honey. Buh Rabbit gree
fuh do so ef Buh Wolf would mek fren wid
um. Dem shake han, an den Buh Rabbit
tell Buh Wolf fuh foller um. Eh tek um ter
one tree wuh hab holler on one side, but wuh
shet up on tarruh side, an eh tell Buh Wolf
say dat tree full er honey, an eh mus git een

an crawl up nigh de top es eh could go.
Buh Wolf trus Buh Rabbit, an eh gone een
de holler. Soon es eh git een, Buh Rabbit
tek one lightwood knot an eh chink up de
hole so Buh Wolf couldnt come out. Den
eh gedder some fat pine, an eh mek fire an
eh bun Buh Wolf up een de holler. While
eh duh bun, Buh Wolf bague an pray Buh
Rabbit fuh leh um come out, but Buh Rab-
bit wouldnt yeddy um.

Buh Rabbit leetle fuh true an eh yent
strong, but eh berry scheemy an eh hab er
bad heart.

---

## XL.

### BUH RABBIT AN DE CUNJUR MAN.

Buh Rabbit greedy fuh hab mo sense den
all de tarruh animel. Eh yent lub fuh wuk,
an eh try heap er scheme fuh git eh libbin
outer edder people by fool um.

One time eh gone ter one wise Cunjur
Man fuh larne um him way, an fuh git him
knowledge, so him kin stonish tarruh people
an mek dem bliebe say him bin wise mo ner
ebrybody. De Cunjur Man larne um heap
er curous ting. At las Buh Rabbit ax um

fuh gen um eh full knowledge. De Cunjur Man say: "Buh Rabbit, you hab sense nough aready." Buh Rabbit keep on bague um, an den de Cunjur Man mek answer: "Ef you kin ketch one big rattlesnake an fetch um ter me live, me gwine do wuh you ax me fuh do."

Buh Rabbit git ehself one long stick an eh gone der wood. Eh hunt tel eh fine one whalin ob er rattlesnake duh quile up on one log. Eh pass de time er day berry perlite wid um, an arterwards eh bet de snake say him yent bin es long es de stick wuh him hab een him han. Buh Rattlesnake laugh at um, an eh mek answer dat eh know eh yiz long mo na de stick. Fuh settle de bet Buh Rattlesnake tretch ehself out ter eh berry lenk on de log, an Buh Rabbit pit de pole long side er um fuh medjuh um. Man sir! befo Buh Rattlesnake fine out, Buh Rabbit slip one noose roun eh neck an fastne um tight ter de een der de pole. Buh Rattlesnake twis ehself, an wrop ehself roun an roun de pole, an try fuh git eh head loose, but all eh twis an tun yent do um no good. An so Buh Rabbit ketch um, an cahr um ter de Cunjur Man.

De Cunjur Man rale surprise, an eh say:

"Buh Rabbit, me always bin yeddy say you bin hab heap er sense, but now me know dat you got um. Ef you kin fool Rattlesnake, you hab all de sense you want." Wen Buh Rabbit keep on bague de Cunjur Man fuh gie um mo sense, de Cunjur Man answer: "You go fetch me er swarm er Yaller Jacket, an wen you bring um ter me, me prommus you teh gie you all de sense you want."

Ebrybody know say Yaller Jacket wus den warse, an bee, an hornet. Eh sting so bad, an eh berry lub fuh drap topper ebryting wuh come close eh nes, an dout gie um any warnin. So wuh Buh Rabbit do? Eh gone an eh git one big calabash, an eh crape um out clean, an eh cut one hole een um, an eh pit honey een um, an eh tie um on de een er one long pole. Den eh hunt tel eh fine er Yaller Jacket nes, an eh set de calabash close by um dout worry de Yaller Jacket, an eh leff um day, an eh tan off an watch um. Bimeby de Yaller Jacket scent de honey, an dem come out de nes an gone een de calabash fuh eat de honey. Wen de calabash full er Yaller Jacket, Buh Rabbit slip up an stop de hole, an cahr um ter de Cunjur Man. De Cunjur Man mek er

great miration ober wuh Buh Rabbit bin
done, an eh say: "Buh Rabbit, you is sut-
tenly de smartest ob all de animel, an you
sense shill git mo an mo ebry day. Mo na
dat, me gwine pit white spot on you forrud,
so ebrybody kin see you hab de bes sense
een you head." An dat de way Buh Rab-
bit come fuh hab er leely tuff er white hair
between eh yez.

---

## XLI.

### BUH RABBIT, BUH FOX, AN DE FISHERMAN.

Buh Rabbit es er soon man. You haffer
git up befo day fuh head um. Wayebber
you fine um, eh yez cock up fuh yeddy ebry-
ting wuh duh gwine on. Eh nose duh twis
from side ter side fuh ketch all de scent duh
float een de element, an wen eh walk bout
eh hop so light you tink der sperit. Eh lub
fuh lib close big road an settlement, way him
kin quaintun wid all wuh hàppne, an pick
eh chance fuh mek eh libbin easy.

One time er Ole Man hab er fish trap wuh
mek wid bode. Eh hab er gate. Wen de
tide duh come een de creek, de gate open an

leh de fish een ; an wen de tide duh gwine
back der ribber, de gate shet an stop all de
fish wuh day een de creek. Ebry low tide
de Ole Man tek eh leely waggin an wisit eh
trap, an collec de fish an pit um een eh wag-
gin an cahr um home fuh him an eh fambly
fuh eat.

Buh Rabbit watch de Ole Man es eh pass
day arter day long de big road, an eh hanker
arter de fish, but eh yent know rightly how
fuh git some. Arter er wile eh fix dis plan.
De nex time eh see de Ole Man duh comin
long de road wid eh waggin an fish, eh led-
down dist on de ādge er de road, an eh pant
same luk eh bin gwine fuh dead. Es de ole
man bin er pass long eh notus um, an eh
stop, an eh gone ter um an eh ax um wuh ail
um. Buh Rabbit mek answer een er woice
so leely you cacely kin yeddy um, an tell um
say eh berry sick ; dat eh bin gwine home
wen eh back an eh leg gie out, an eh couldnt
trabble no furder. Den eh bague de Ole
Man fuh tek um up een eh waggin an cahr
um long de big road tel eh come ter de place
way him fuh tun off fuh gwine ter him house.
De Ole Man gree fuh do so, an eh liff Buh
Rabbit up, an eh pit um een eh waggin long
side de pile er fish. Buh Rabbit leddown

luk eh dead.　De Ole Man back tun ter Buh
Rabbit.　Een er leely while Buh Rabbit
biggin fuh slip fish outer de waggin, an trow
um, onbeknowinst ter de Ole Man, een de
bush wuh bin er grow long side er de road.
Wen dem mose git ter de place way de Ole
Man gwine tun out de big road, Buh Rab-
bit hop outer de waggin dout de Ole Man
shum, an run back an gedder all de fish wuh
him bin tief.

Es de Ole Man retch eh big gate, eh look
behine fuh see how Buh Rabbit duh mek
out; an de fus ting eh know Buh Rabbit
yent day een de waggin, an heap er him fish
done missin.　Den de Ole Man fine out say
Buh Rabbit bin fool um an tief eh fish.　De
Ole Man berry bex, an eh dribe home an tell
eh wife bout de ting.

Arter Buh Rabbit done gedder de fish
wuh eh bin tief outer de Ole Man waggin,
eh pit um on tring, an eh start fuh tote um
ter him house.　Buh Fox meet um, an eh
quire way eh git all dem fish.　Buh Rabbit
up an tell um.　Buh Fox say him want git
some too.　Den Buh Rabbit mek um senser-
ble wen de Ole Man gwine come long de
road, an eh show um good place fuh him fuh
wuk eh plan fuh do dist es him bin do.

De nex day Buh Fox tek eh stan sider de big road an wait fuh de Ole Man an eh waggin. Befo long yuh eh come. Buh Fox trow isself on de groun, an roll ober, an moan berry pitiful. De Ole Man shum, an eh light offer eh waggin an run up ter um wid eh big whip een eh han. Buh Fox bin tink say de Ole Man gwine pity um, an tek um een eh waggin same luk eh done Buh Rabbit. Steader dat, an befo eh fine out, de Ole Man knock um een de head wid de butt er eh whip an stunted um. Den eh beat um ter det, an eh tek um up an eh trow um een eh waggin, an eh dribe home. Wen eh git day eh call eh wife an eh show um de tief wuh bin tek eh fish. De Ole Man yent bin know de diffunce tween Buh Rabbit an Buh Fox. Eh tink all two bin de same animel.

Buh Rabbit, him no care so eh sabe isself. Him bin know say Buh Fox gwine ketch de debble wen de Ole Man come pon topper um.

## XLII.

### BUH RABBIT, BUH WOLF, AN DE YEARLIN.

Buh Rabbit an Buh Wolf come inter co-hoot fuh kill cow. Dem gone een de paster an pick out one fat yearlin, an run um down, an ketch um, an cut eh troat. Den dem skin um an share de meat. Buh Wolf claim de bigges part, case him hab de bigges fam-bly. Eh strong mo ner Buh Rabbit, an so Buh Rabbit yent hab de power fuh mek um do jestice. But ef Buh Wolf hab de strenk, Buh Babbit hab de bes sense. So wuh Buh Rabbit do? Eh tek some salt outer him bag, an eh buil fire, an eh brile some er de year-lin meat on de coals, an eh eat um right befo Buh Wolf. Soon es eh done eat um, eh cry out an eh say eh hab pain er belly, an eh double ehself all up, an eh roll eh yeye, an eh waller all long de groun, an eh mek all sorter curous motion an noise. Buh Wolf skaid, an eh conclude say de meat yent good. Eh tink say eh pizen Buh Rabbit, an dem gree fuh leff um.

Buh Wolf wait tel Buh Rabbit sorter come teh, an den eh help um ter him house an tell um goodbye.

Wen sun down an eh biggin fuh dark, Buh Rabbit gedder him fambly, and dem gone an git de yearlin meat, an dem cahr um home an dem eat um. Nuttne bin ail de meat. Eh bin soun an sweet, an Buh Rabbit do dis fuh fool Buh Wolf an git him share too.

---

## XLIII.

### BUH RABBIT, BUH WOLF, DE DOG, AN DE GOOSE.

Arter dat time wen Buh Rabbit bin play dat trick ou Buh Wolf an ride um up ter de Gal house wuh dem all two bin er cote, Buh Wolf berry bex long Buh Rabbit, an eh wan ketch um fuh gie um good lickin. Buh Rabbit, him so smate eh keep outer Buh Wolf way so eh couldnt come pon topper um. Buh Wolf hire one dog fuh help um ketch Buh Rabbit. One day de Dog meet Buh Rabbit der wood, an dout say one wud ter um, eh lean arter um fuh ketch um. Buh Rabbit run, but de Dog push um so tight Buh Rabbit, fuh sabe ehself, jump een one holler oak tree. De hole bin too leely fuh de Dog fuh foller um, an so Buh Rabbit

mek ehself saterfy say eh done git way.
Bimeby eh yeddy de Dog call one goose, an
tell um fuh watch de holler tel him kin git
some fire an moss fuh smoke Buh Rabbit
outer de tree. Wen de Dog gone fuh gedder
de moss an git de fire, Buh Rabbit call ter
de Goose an ax um : "How you duh watch
me wen you no see me ? " Wid dat de
Goose poke eh long head een de holler fuh
look fuh Buh Rabbit. Es eh do dat, Buh
Rabbit trow rotten wood een eh yeye. Eh
bline de Goose, an eh draw eh head out, an
wile eh duh fight fuh git de rotten wood
outer eh yeye Buh Rabbit slip out an gone.
Wen de Dog come back, eh stuff de moss
een de holler, an eh pit fire ter um, an eh
mek er hebby smoke ; but eh cant see ner
yeddy nuttne bout Buh Rabbit. Den eh
biggin fuh spicion say Buh Rabbit might er
git out, an eh tackle de Goose bout um. Eh
notus de Goose yeye red an eh duh run
water. De Goose tell um how Buh Rabbit
bin trow rotten wood een eh yeye wen eh
bin er peep up de holler. Den de Dog know
fuh sutten say Buh Rabbit bin wuk dat plan
fuh git way, an dat eh done gone fuh true.
Eh so bex eh cuss de Goose fuh er fool, an
eh tun on um fuh stroy um. De Goose hol-

ler, an manage fuh sail way een de element,
but eh leff eh fedder een de Dog mouf.

------------◆------------

## XLIV.

### BUH SQUIRLE AN BUH FOX.

Buh Squirle bin berry busy duh gedder
hickry not on de groun fuh pit way fuh feed
ehself an eh fambly duh winter time. Buh
Fox bin er watch um, an befo Buh Squirle
shum, eh slip up an eh graff um. Buh
Squirle, eh dat skaid eh trimble all ober, an
eh bague Buh Fox fuh lem go. Buh Fox
tell um say eh bin er try fuh ketch um long
time, but eh hab sich sharp yeye, an keen
yez, an spry leg, eh manage fuh dodge um;
an now wen eh got um at las, eh mean fuh
kill um an eat um. Wen Buh Squirle fine
out dat Buh Fox yent bin gwine pity um
an tun um loose, but dat eh fix fuh kill um
an eat um, Buh Squirle say teh Buh Fox:
" Enty you know say nobody oughter eat eh
bittle befo eh say grace ober um?" Buh
Fox him mek answer: " Dat so;" an wid
dat eh pit Buh Squirle een front er um, an
eh fall on eh knee, an eh kibber eh yeye wid
eh han, an eh tun een fuh say grace.

Wile Buh Fox bin er do dis, Buh Squirle manage fuh slip way; an wen Buh Fox open eh yeye, eh see Buh Squirle duh run up de tree way him couldnt tetch um.

Buh Fox fine eh couldnt help ehself, an eh call arter Buh Squirle an eh say: "Nummine, Boy, you done git way now, but de nex time me clap dis han topper you, me gwine eat you fus an say grace arterward."

Bes plan fuh er man fuh mek sho er eh bittle befo eh say tenky fuh um.

---

## XLV.

### BUH RABBIT, BUH WOLF, AN DE BUCKRA MAN.

Er Buckra man bin hab er gang er sheep. Ebry now an den eh miss one. Eh sarche eh fiel, an eh see Buh Wolf track day, an eh mek up eh mine say him bin er de one wuh duh tief eh sheep. Eh fix heaper plan fuh ketch um, but eh fail. At lenk eh call een Buh Rabbit, case eh hab summuch sense, fuh help um. Buh Rabbit, him gree fuh do so ef de Buckra man would len um one horse, an would prommus no fuh tell Buh Wolf nuttne bout de ting.

De Buckra man gen um de prommus an len um de horse. Buh Rabbit ride de horse ter him house, an eh sen wud ter Buh Wolf say him dist bin buy er fine ridin horse, an him want um fuh come an tek er ride long um. Buh Wolf, him come, an wen eh look topper de horse eh tell Buh Rabbit him would lub fuh ride um, but dat him faid say de horse gwine fling um. Buh Rabbit mek answer say him mussnt faid; dat him gwine pit saddle on de horse, an wen Buh Wolf git een um eh gwine tie eh leg so him cant fall off; an, mo ner dat, him gwine git up behine fuh hole um on. Arter dat Buh Wolf seem saterfy.

Buh Rabbit trow de saddle on de horse an gelt um tight. Den Buh Wolf climb up an tek eh seat. Buh Rabbit tek string, an eh tie Buh Wolf leg fas ter de stirrup. Now eh say: " Me gwine git up behine fuh hole you on." Steader dat, wen Buh Wolf yent bin er notus, eh step back, an eh tek er bunch er cock-spur an eh lick um onder de horse tail. De ting hot de animel so bad, eh jump, an eh pitch, an eh kick up. Buh Wolf grab de bridle an juk de horse mouf, an dat mek um rare up. Buh Wolf git rale skaid, an eh holler fuh Buh Rabbit fuh tek

um off. Buh Rabbit tell um fuh hole on
tel him kin onloose de saddle. All dis time
de horse bin er cut sich caper Buh Wolf
couldnt manage um, an so eh drap de bridle
an heng on ter eh mange fuh keep from fall
off. Wen de horse fine say eh head loose,
eh mek fuh home; an befo Buh Wolf fine
out eh run tru de big gate an roun de
house ter de stable. De Buckra man bin er
set een eh piazza, an eh see wen de horse
come up wid Buh Wolf der heng topper eh
neck. Eh run ter de stable, an eh leh de
horse an Buh Wolf een. Den eh call eh
driber, an dem ontie Buh Wolf an fastne
um ter one tree. Arter dem bin gen um
bout one hundud lash, Buh Rabbit run up
an bague de Buckra man fuh tun Buh Wolf
loose. Eh did tun um loose. Buh Wolf
nebber did fine out say Buh Rabbit bin fix
dis plan fuh pit um een de Buckra man han,
an eh tell Buh Rabbit heap er tenky fuh de
faber wuh him bin done ter um.

Ebry time you yeddy bout Buh Rabbit,
you fine um duh come out head.

## XLVI.

### BUH RABBIT AN BUH WOLF FUNERAL.

Buh Rabbit fool Buh Wolf so many time, an een sich diffrunt fashion, dat eh outdone wid um. Ebry time eh try fuh ketch um fuh lick um, Buh Rabbit somehow er narruh slip tru eh han an git way. Buh Wolf, him hire edder people fuh wuk plan fuh git de better er Buh Rabbit an pit um een eh power, but, bless you soul! dem fail too, an Buh Rabbit, him go clear. De ting mose worry Buh Wolf life outer um. Eh fret so bout um tel eh biggin fuh tun rale po.

At lenk Buh Wolf gie out say him berry sick. Leely wile arter dat, de news come dat Buh Wolf dead. Eh wife eenwite all eh fren ter de funeral. Buh Wolf mek sho say eh gwine ketch Buh Rabbit now.

Buh Bear, him bin der de passon. Dog come. Roccoon come. Squirle come. Possum come. Cow come. Alligatur an Cooter, dem come. Deer, him bin day too. Buh Wolf, him bin er lay out on er bench een de middle er him house, kibber ober wid er wite clorte, an eh wife an eh chillun duh tan roun um duh cry. Buh Owl, him fetch

er spade fuh dig de grabe, an bud bin day
too fuh sing er hyme.

Wen dem all bin gedder, Buh Rabbit
enter dist es careful, an tek eh stan jes by
de do. Dem wait leely wile fuh Buh Fox,
but him sen wud say him wife hab feber an
him couldnt leff um. Den Buh Bear, him tek
eh book an eh read um, an eh preach er
sar mint. Arter dat de Mockinbud raise er
chune, an dem all sing.

All dis time Buh Wolf bin er leddown,
tretch out ter eh full lenk, and stiff lucker
eh bin dead fuh true. Eh hole eh bref
so tight, nobody could yeddy um breave.
Wen de preachin an de singin done ober,
dem all gone up fuh tek dem las look at
Buh Wolf befo dem tote um out fuh bury
um. Dem raise up de clorte wuh bin ober
eh face, an eh look dist es natrul ; an dem
tell um goodbye one by one. Buh Rabbit,
him walk up las, an eh yent gone berry close
needer. Buh Rabbit always tote eh good
sense bout um, an eh nebber wil run no resk.
Es eh come fuh look topper Buh Wolf, Buh
Wolf bin spec say eh woulder tan so close
dat eh coulder graff um. But wen eh fine
Buh Rabbit sorter skittish, an eh duh ease
ehself off, eh tek de chance, an, all ob er

sutten, eh trow ehself offer de bench an eh
mek arter Buh Rabbit. Buh Rabbit, him
bin hab eh yeye on Buh Wolf all de time,
an befo Buh Wolf could mek eh way tru
de crowd an come up long um, Buh Rabbit
slip out de back do an trow ehself een de
brier patch, way Buh Wolf couldnt foller
um. De people all stonish, an wen dem fine
out de trute er de ting, dem berry bex ; an,
befo dem leff, dem bemean Buh Wolf sich
er fashion eh bin shame fuh show ehself een
de settlement fuh many er days. Dat bin
er dutty trick wuh Buh Wolf play on eh
fren and on Buh Rabbit, but Buh Rabbit,
him outdo um.

---

## XLVII.

### DE NEW NIGGER AN EH MOSSA.

Er New Nigger notus say eh Mossa heap
er time duh seddown wid eh foot cross, yent
duh say nuttne an yent duh do nuttne, wen
him haffer wuk all de time. One day eh
ax eh Mossa huccum dat. De Buckra man
answer : " Wen you see me duh seddown,
an you tink me duh lazy, same time me duh

wuk long me head, an duh mek plan, an study pon ting."

Soon arter dat de Buckra man come pon topper de New Nigger een de fiel. De sun hot. Eh bin drap eh hoe, an bin er sed-down on de cotton bed duh res ehself. De Buckra man git bex case de Nigger bin er glec eh wuk, an eh say ter um : " Huccum you stop de wuk wuh me bin gen you fuh do? Wuh mek you duh lazy disher fash-ion ? " Den de New Nigger, him mek an-swer : " Mossa, me duh wuk long me head." Wen de Buckra man quire wuh kind er head wuk him duh do, de New Nigger say : " Mossa, ef you see tree pigeon duh set on dat tree limb, an you shoot an kill one er dem, how many gwine leff ? " Eh Mossa reply : " Any fool kin tell dat. Ob scource two gwine leff." De New Nigger, him mek answer : " No, Mossa, you miss. Ef you shoot an kill one er dem pigeon, de edder two boun fuh fly way, an none gwine leff."

De Buckra man bleege fuh laugh, an eh yent do nuttne ter de New Nigger case eh glec eh wuk.

## XLVIII.

### BUH RABBIT AN DE KING DARTER.

Dere was er King wuh bin hab er pooty
Darter, an heap er people bin er cote um.
De gal couldnt mek up eh mine which one
fuh tek, an so eh ax eh farruh fuh help um
pick. Den eh farruh, wuh bin de King,
gen out wud say de one wuh kin fetch ter
um de Alligatur yeye teet, an water from de
Deer yeye, shill hab eh Darter.

All dem wuh bin er cote de gal fix plan
fuh git dem ting, but dem fail. Ebry body
bin faid Alligatur, an nobody could outrun
Buh Deer. Buh Rabbit, him bin berry lub
de gal, an him hanker arter marry um, so eh
study bout de ting an mek eh scheme. Eh
tek eh fiddle an eh gone ter de ribber bank,
an eh play er funny chune, an eh sing er
funny song. Buh Alligatur yeddy um; an
bimeby eh crawl outer de mash grass, an eh
leddown close by Buh Rabbit, so him kin
ketch all wuh Buh Rabbit der play an der
sing. Buh Rabbit do eh bes, an de ting
tickle Buh Alligatur so bad eh laugh berry
harty. Buh Rabbit play an sing, an pick eh
chance, an wen Buh Alligatur duh shet eh

yeye an open eh mout fuh laugh, eh tek eh
fiddle bow an, all ob er sutten, eh knock one
er Buh Alligatur yeye teet outer eh head.
Befo eh fine out, Buh Rabbit done pick up
de teet an gone.

Den Buh Rabbit notus way Buh Deer
blan ramble der wood, an eh dig er deep
hole, an eh kibber um ober complete long
dut, an pine straw, an oak leaf. Eh hide
een de bush oneside duh watch. Bimeby
Buh Deer, him come long duh eat grass, an
befo eh fine out, de groun gie way onder eh
foot, an eh drap bottom er de hole. Buh
Deer dat skaid eh dunno wuffer do. Eh
scuffle. Eh holler, but eh couldnt git out.
Buh Rabbit run day, an eh tell um say dog
bin on eh track, an dat dem mose git day.
Wid dat Buh Deer gib up, an biggin fuh
cry. Den Buh Rabbit, him slip een de hole
wid er leely calabash, an eh ketch de water
duh run down from Buh Deer yeye. Arter
dat eh gone home, an eh tek de Alligatur
yeye teet, an de calabash wuh hab de Deer
yeye water een um, an eh light out fuh de
King house.

Wen him show de King wuh him bring,
de King gree say Buh Rabbit head er all
dem wuh bin er cote him Darter, an eh gen
um de gal, an dem bin hab er hebby weddin.

## XLIX.

### DE SINGLE BALL.

Er Buckra man bin berry lub fuh hunt deer. Eh nussen fuh brag too. Eh hab er Serbant wuh always gone wid um der wood fuh dribe de deer. Him bin berry fond er eh Mossa, an eh ready any time fuh schway ter de tale wuh him tell bout how much deer dem kill, an way dem shoot um. One time dis Buckra man bin tell eh fren say him shoot er deer long er rifle, an wen eh gone fuh zamine um, eh fine say de ball shoot off eh hine foot an hit um een eh yez. Him fren couldnt see how dat happne, an dem yent bin want fuh bleeve de tale. Den de hunter man call pon topper him Serbant fuh proobe wuh him bin say. De Serbant speak de wud same luk him Mossa bin talk um. Den de gentlemans ax um how de same ball could er hit de deer een eh hine foot an een eh yez same time. De Nigger cratch eh head, an den eh mek answer: "Gentlemans, me spec wen Mossa fire pon topper um, de deer mus be bin er bresh fly offer eh yez wid eh hine foot." Dat sorter saterfy de gentlemans, an sabe de Buckra man wud.

Arter de gentlemans done gone, de Serbant call eh Mossa one side an eh say : " Mossa, me willin fuh back anyting you say bout hunt an kill deer, but lemme bague you nex time you tell bout how you shoot um, you pit de hole closer. Dis time you mek um so fur apart, me hab big trouble fur git um togerruh."

---

## L.

### BUH ROCCOON AN BUH POSSUM.

Buh Roccoon ax Buh Possum wuh mek, wen de dog tackle um, eh double up ehself, an kibber eh yeye wid eh han, an wunt fight lucker man an lick de dog off. Buh Possum grin eh teet same lucker fool, an eh say, wen de dog came pon topper um, dem tickle him rib so bad long dem mout dat him bleege ter laugh ; an so him furgit fuh fight.

Coward man hab all kind er lie fuh tell fuh scuse ehself.

## LI.

### BUH WOLF, BUH RABBIT, AN DE RAIN.

Buh Wolf bin er set een de do er him house duh play eh fiddle. Lord er massy! how dat animel did mek dat fiddle talk! Buh Wolf yeye shet tight, an eh dis bin er rock from side ter side, an draw eh bow teh eh berry lenk, en der pat de time wid eh foot. Er hebby shower er rain come on. Buh Rabbit, him bin een de big road not fur from Buh Wolf house. Buh Rabbit yent lub rain, an eh try fuh shelter ehself onder er oak tree wuh kibber wid long moss. De rain lick um een eh yez, an eh leff fuh hunt better place. Es eh pass by Buh Wolf house, eh notus Buh Wolf duh set een de do duh play eh fiddle. Buh Wolf so tek up wid eh play dat eh shet eh yeye an yent duh watch wuh gwine on roun um. So Buh Rabbit mek up eh mine fuh slip een de do pass Buh Wolf, an set een him house tel de rain done ober. Buh Rabbit foot so sofe nobody kin yeddy um wen eh walk. Him no know, but Buh Wolf ketch sight er um outer de corner ob him yeye wen Buh Rabbit hop een de do an run back side er de room. Eh sed down

day an mek ehself saterfy, an duh wait top-
per de rain. Buh Wolf him yent leh Buh
Rabbit know say him shum, but eh biggin
fuh tun eh chune, an eh play an eh sing:
"Tenk God, rain done sen meat een me
house. Tenk God, rain done sen meat een
me house." Buh Rabbit yeddy; an eh spi-
cion say Buh Wolf smell um, an fine out say
him bin een eh house. Buh Rabbit hair rise,
an eh want fuh git out, but eh faid fuh slip
back trough de do way Buh Wolf bin er sed
down. Buh Rabbit berry oneasy een eh
mine, an eh duh consider plan fuh mek eh
scape.

Buh Wolf house buil on de groun senker
hog pen. Eh mek wid pole. Him bin tink
say him got Buh Rabbit safe, an so eh keep
on play eh fiddle an sing: "Tenk God, rain
done sen meat een me house. Tenk God, rain
done sen meat een me house." Wile Buh
Wolf duh mek ehself saterfy say him hab
Buh Rabbit an gwine eat um soon es de rain
done ober, Buh Rabbit duh grabble, grab-
ble, grabble onder de bottom er de pole, tel
eh mek hole big nough, an den eh slip out,
onbeknowinst teh Buh Wolf, an hop roun
teh de front do, an eh holler teh Buh Wolf:
"You duh sing an der play, 'Tenk God,

rain done sen meat een you house,' but you
yent eat um yet, an you yent gwine eat um."
Wid dat eh leff right befo Buh Wolf face.
Buh Wolf rale disappint. Eh loss eh din-
ner. Eh gone an eh heng up eh fiddle, an
eh say teh ehself: "Me tought sho me bin
hab um, but Rabbit beat my time."

---

## LII.

### BUH ALLIGATUH, BUH RABBIT, AN BUH WOLF.

Buh Rabbit, him bin er tief Buh Alliga-
tuh āgg. Buh Alligatuh ketch um topper
eh nes. Eh graff um an eh pit um een one
crocus bag, an eh tie up de een er de bag
tight, an eh heng um on one tree lim, an eh
gone home fuh git eh lash fuh lick Buh
Rabbit. Buh Rabbit dat skaid eh yeye big
moner saucer. Eh duh trimble een de bag,
an duh peep trough de crack een de crocus
fuh notus wuh gwine happne.

Bimeby eh see Buh Wolf duh ramble dat
way. Soon es Buh Wolf come anigh um,
Buh Rabbit biggin fuh sing say him gwine
teh Hebben, way him will hab nuttne fuh do

cept joy ehself ; way him will hab no corn fuh grine, no tetter fuh dig, no cotton fuh pick, no rice fuh hoe, an no chillun fuh mine. Buh Rabbit mek tense luk him so happy case de Lord dist er commin fuh tek um right up eenter de element.

Buh Wolf stop. Eh listne teh Buh Rabbit. Eh yeddy close, an den eh say : " Buh Rabbit, enty dat duh you woice ? " Buh Rabbit, him mek answer : " Yes, Budder, dis duh me." Den Buh Wolf ax um wuh eh duh do een dat crocus bag. Buh Rabbit tell um say him dist fix ehself dat er way so de Lord kin fine um handy fuh tek um right up eenter Hebben ; an den eh say : " Good-bye, Buh Wolf, I leff all me trial behine ; you no gwine see me no mo ; me gwine leff right off fuh Hebben." Buh Wolf now, him yent hab no better sense den fuh bleebe wuh Buh Rabbit duh talk ; an eh bague Buh Rabbit fuh leh him jine um an go long um. Buh Rabbit, him mek answer : " Me Budder, me glad fuh bleege you, but de good Lord tell me say only one at er time kin enter Hebben. Two an two cant go day." Buh Wolf bague. Eh bague. At lenk Buh Rabbit mek tense say eh gie way caze Buh Wolf bague um so bad, an eh say : " Well, Bud-

der, you seem so anxious me gwine leh you
tek me chance dis time, an me will haffer
wait topper de Lord tel narruh tun."

Wid dat eh tell Buh Wolf fuh loose de
bag offer de tree lim, an ontie um. Arter
Buh Wolf done do dis, Buh Rabbit git out,
an Buh Wolf tek eh place een de bag. Buh
Rabbit tie up de mout er de bag berry tight,
an heng um gen on de tree lim. Buh Wolf,
lucker fool, duh set eenside duh spec fuh
rise ter Hebben. Buh Rabbit now, eh so
glad eh free, eh hop off one side an hide eh-
self een one gall-berry ticket, way nobody
kin shum, an cock eh yez fuh notus wuh
gwine happne. Eh know say big trouble
gwine come topper Buh Wolf.

Eh yent bin berry long wen yuh come
Buh Alligatuh duh tote er keen black lash.
Eh gone right up ter de bag, an eh gen um
er nasty cut. Den eh haul back an eh gen
de bag anurrer whaling ub er lick. Eh no
bin know say Buh Rabbit bin git out, an dat
Buh Wolf bin eenside. Buh Wolf couldnt
mek out wuh bin gwine on. De lick hot um
so bad eh holler out: "Wudder dat? Who
duh dat? Wuh hoona duh do long me?
Lemme lone." Buh Alligatuh so bex eh
yent yeddy say eh bin Buh Wolf woice, an

eh keep duh pile on de lick tell eh tare de
crocus an cut de bag down. Buh Wolf all
lick up so eh casely kin walk. Wen eh
scuffle outer de bag, Buh Alligatuh fine out
fuh de fus time say eh binner whale up Buh
Wolf, steader Buh Rabbit wuh bin tief eh
āgg. Den Buh Alligatuh ax Buh Wolf par-
don, an mek um tell um huccum Buh Rabbit
bin fool um an git um fuh tek eh place een
de bag. Buh Alligatuh bex an sorry all
two: eh bex caze Buh Rabbit play dat trick
an git way; eh sorry caze Buh Wolf beat up
so sewere. All dis time Buh Rabbit duh
squat een de bush, way eh kin see an yeddy
ebry ting, duh half kill ehself wid laugh.

All de sorry wuh Buh Alligatuh bin sorry
fuh Buh Wolf yent bin done um no good.
Eh bin bruise up so bad eh haffer tek eh
bed fuh mona two week, an all dat time Buh
Wolf fambly mose dead long hongry.

Buh Alligatuh an Buh Wolf all two mek
plan fuh ketch Buh Rabbit, but dem nebber
did obertek um. No matter wuh de trouble,
Buh Rabbit always hab sense nough fuh
clear ehself. Eh yent hab dem long yez an
big yeye fuh nuttne.

## LIII.

### DE DYIN BULL-FROG.

One time er ole Bull Frog bin berry sick an spectin fuh dead. All eh fren een de pon collec roun um an eh fambly, fuh nuss um an tek dem las look at um. Dat ole Frog bin hab er noung wife an heap er leely chillun. Eh berry trouble een eh breas bout who gwine mine eh fambly arter eh gone. Wen eh woice biggin fuh fail um, an dist befo eh dead, eh say: " Me fren, who gwine tek me wife wen de breaf leff dis yer body ? " Eh fren all holler out at de top er dem woice : " Me me. Me me. Me me." Den eh quire : " Who er you gwine mine me leely chillun ? " Fuh some time eh yent yeddy no answer ; an den de answer come back ter um one by one from all ober de pon, an een er deep woice : " Yent der me. Yent der me. Yent der me."

Heap er people willin fuh notus er pooty noung widder, wen dem no want bodder long narruh man chillun.

## LIV.

### BUH RABBIT, BUH PATTRIDGE, AN DE COW.

Buh Rabbit, him berry greedy, an him lub fuh tell lie. Him an Buh Pattridge mek greement fuh kill Cow. Buh Pattridge ax Buh Rabbit: " Way we gwine butcher um ? " Buh Rabbit say: " Less we dribe um close up ter my house befo we kill um." Dem done dat, an arter dem kill an skin de Cow, dem cut um up fuh share um. Den Buh Rabbit tell Buh Pattridge : " You tek one er de fore-quarter, caze you know you leetle an cant tote much one time, an me radder you tek de fore-quarter anyhow, caze eh nex de heart, an eh mo sweeter den de res er de meat." So Buh Pattridge tek one er de fore-quarter an leff fuh him house.

Soon es Buh Pattridge gone duh tote eh meat home, Buh Rabbit tun een an tote all de res er de Cow ter him house, an pit um een eh room, an lock de do. Den eh stan outside duh watch fuh see wen Buh Pattridge would er come back fuh mo meat, so dem all two could er meet same time at de place way dem bin butcher de Cow. Buh Rabbit leh Buh Pattridge git er leely way ahead er um es dem gwine back ter de spot way de Cow bin kill, an wen eh come up eh say: "Hi! Buh Pattridge, way all de meat gone?" Buh Pattridge, him mek answer: "Me dis bin gwine ax you wuh you bin do wid all de meat." Buh Rabbit say: "How you kin ax me sich er question, wen me bin see er whole gang er Pattridge dis gone from yuh? Me sho say you an you fambly bin come back fuh tek anarruh tun long de meat." Buh Pattridge mek answer say him an eh fambly nebber bin nigh de Cow sence eh fus leff um. Den Buh Rabbit schway say: "Ef eh yender you, somebody else muster tief de Cow meat wen we all two bin gone;" an so eh fool Buh Pattridge, an mek um bleebe say strange people muster slip up an cahr off de meat, wen all de time him binner de tief, an hab um lock up safe een him house.

You nebber kin trus Buh Rabbit. Eh all fuh ehself; an ef you listne ter him tale, eh gwine cheat you ebry time, an tell de bigges lie dout wink eh yeye.

## LV.

### DE FIDDLER, BUH TIGER, AN BUH BEAR.

Long time ago dere bin er Ebo man wuh bin er great fiddler. Eh know better den all dem tarruh people wuffer do long fiddle. Wen eh lean back, an shet eh yeye, an draw eh bow fuh tru, nobody wuh yeddy kin keep from shuffle eh foot. Ebry body roun de settlement blan gage um fuh mek de music fuh dem fuh dance. One day eh bin gwine fuh keep eh gagement fuh play at er party. Eh hab eh fiddle een er bag. Es eh bin der walk tru er deep swamp, Buh Tiger an Buh Bear tek eh track an run um. De man skaid wus den bad, but eh wunt drap eh fiddle. Eh clime one tree an fix eh-self een one crotch. Fus ting eh know, Buh Tiger biggin fuh crawl up de tree fuh ketch um. De man holler and try fuh skaid de beas, but eh wunt skaid. Eh keep on duh clime up. Den de man draw eh fiddle an eh bow outer de bag, an biggin fuh play wid all eh strenk. Buh Tiger bleege fuh stop teh listne ter um. Een er leely wile de chune sweeten Buh Tiger so bad eh forgit ter foller de man, an eh tun roun an come down de

tree, an him an Buh Bear graff han, an all
two set een fuh dance. De faster de fiddler
play, de faster dem dance. Dem gone roun
an roun, up an down, tel dem dead tired.
At lenk dem all two so outdone dem bleege
fuh drap der groun an try fuh ketch dem win.
Dem cant dance er foot furder, an dem duh
try fuh keep de time long dem head.

Wen de Fiddler notus how complete dem
outdone, eh slip down de tree, an tek eh foot
een eh han, an lean fuh de place way eh bin
gwine. Buh Tiger an Buh Bear yent hab
strenk fuh foller um: an so eh music sabe
um.

---

## LVI.

### DE OLE KING AN DE NOUNG KING.

Er ole King yeddy say dem gwine pit er
noung King een him place. De ting worry
um an mek um bex. Eh want fuh keep eh
trone: so eh gen order teh eh head man fuh
mek him soldier kill all de ole people een de
nation, so de noung King shant hab no wise
pusson fuh help um cahr on de bidness
er de kingdom. De soldier tek dem gun an
dem club, an dem massacree all de ageable
people een de lan.

Den de ole King sen wud teh de noung King, wuh de people bin pick out fuh rule ober dem, dat eh mus fetch um er fat hog, but eh musnt be eider er sow-hog, neider er bo-hog, but eh mus be er fat hog.

Wen de noung King git de message, eh tun dis answer: "Tell de ole King say me hab er fat barruh een de pen, an him mus come fur um; but eh musnt come een de day, ner eh musnt come fuh um een de night." De ole King, wen eh yeddy dis message, mek up eh mine say de noung King mus hab heap er sense, er else some wise man muster help um; an eh couldnt see how dat kin be, case all de ole an de wise people een de nation done kill. Eh no bin know dat wen de order gie fuh stroy all de ole people een de kingdom, de noung King hide eh farruh een one holler tree, an so eh mek eh scape from de soldier, an bin day fuh gen eh son sense.

De noung King tun sich er smart answer, wid de help er eh farruh, dat de ole King couldnt mek out wuh time fuh gone fuh de fat hog; an so eh gib up, an de noung King, befo long, come an tun um out an tek eh office.

## LVII.

### BUH GOAT AN BUH WOLF.

Buh Goat berry faid tunder an lightnin
an rain. One day big tunder storm rise een
de wes, an eh rain, an eh lightnin, an eh
hail. Buh Goat an eh wife bin er feed een
de wood close by Buh Wolf house. Wen
de lightnin flash, an de tunder roll, an de
rain po down, dem faid fuh stay een de
wood, an dem run teh Buh Wolf house, an
dem bague um fuh leh dem come een tel de
storm done ober. Buh Wolf tell dem yes;
an eh tun Buh Goat an eh wife een de shed-
room, an eh shet de do behine dem an latch
um. Buh Wolf shedroom yent bin hab bode
flo. Eh mek topper de neked dut. Arter
Buh Wolf done shet up Buh Goat an eh wife,
eh git eh fiddle an eh biggin fuh play an
sing: "Tenky goolly God, tunder an light-
nin done sen meat een me house. Tenky
goolly God, tunder an lightnin done sen meat
een me house." Buh Goat wife yeddy wuh
Buh Wolf bin er play an sing, an eh say
teh eh husbun: " Enty you yeddy wuh Buh
Wolf duh play an duh sing: 'Tenky goolly
God, tunder an lightnin done sen meat een

me house'? Him gwine kill an eat we. Better leh we grabble out an leff." All dis time Buh Wolf wife bin er tell eh husbun : "You better mine wuh you duh sing. You better keep you mout shet. Buh Goat an eh wife gwine yeddy wuh you duh say." Buh Wolf wouldnt listen ter um. Eh wouldnt stop. Him say de rain duh fall so hebby Buh Goat an him wife couldnt mek out wuh him duh sing. Wile dis bin er gwine on, Buh Goat an eh wife busy duh grabble, grabble, grabble onder de sill er de shedroom tel dem mek hole big nough fuh dem fuh crawl out, an den dem slip out an gone.

Wen de rain stop, Buh Wolf heng up eh fiddle an gone git eh knife, an pit eh pot on de fire, en sharpen eh knife on de pot rim. Den eh onlatch de shedroom do an gone een fuh cut de troat er Buh Goat an eh wife. De fus ting eh fine out, Buh Goat an eh wife done gone. Eh holler back ter him wife an eh say : " Ole ooman ! Buh Goat an eh wife git way." De ole ooman — wuh bin Buh Wolf wife — mek answer : " Enty me bin tell you say Buh Goat an eh wife gwine yeddy ? Duh you mek dat. Ef you bin do es me bin tell you, an keep you big mout shet, you bin hab um all two now." Den Buh Wolf an eh

wife biggin fuh quarrel an fight caze Buh
Wolf skaid Buh Goat an eh wife an lem git
way. Buh Wolf wife lick eh husbun tel eh
holler, an eh tell um eh shant stay een de
house bedout eh fine um een meat. Buh
Wolf bague berry hard, an eh prommus say
ef eh wife lem go him will hunt an fetch bit-
tle right off. Den eh wife tun um loose, an
Buh Wolf gone fuh git meat.

Een de arternoon er de same day, wile
Buh Wolf bin er hunt bittle, eh meet up
wid Buh Goat, an eh ax um: " Buh Goat,
wuh sort er mean trick dat wuh you bin do
me dis mornin?" Buh Goat, him bex, an
him mek answer: "How you hab de face
fuh talk long me an ax me sich er question?
Enty you bin fix fuh kill me an me wife dis
mornin arter you done gie we de freedom er
you house? Enty we yeddy you sing an tenk
de Lord case tunder an lightnin sen meat een
you house? You hab er bad heart. You no
duh frien." Buh Wolf, him say: " You mek
mistake. Me no bin gwine hot you. Me dist
bin er fun." Buh Goat answer: " Yes, you
yiz bin mek up you mine fuh kill we. Haw
Buck! me lub my life dist es much es you
lub yourn, an me no want hab nuttne mo
fuh do long you." Wen Buh Wolf fine eh

couldnt fool Buh Goat, eh change eh chune
an eh say : "Go long, Boy. You git way
one time, but narruh chance gwine come ; an
de nex time me git you een me power me
yent gwine wait topper nuttne, but me gwine
pick you bone right off." Buh Goat laugh
at um, an eh answer : " Now you done speak
you mine, lemme tell you, you nebber gwine
git narruh chance fuh ketch me. Me boun
fuh watch you." An so dem part compny.
Buh Goat nebber did trus Buh Wolf from
dat day tel dis.

## LVIII.

### DENTISTRY AT THE OLD PLANTATION HOME.

The incident which we relate occurred some forty years ago at one of those beautiful plantations in the swamp-region of Georgia, where the magnolia grandiflora and the live-oak mingled their noble shadows, — where the cultivation of rice and sea-island cotton engaged the attention of the agriculturalist, — where generous hospitality and a patriarchal civilization abode, — and where, at a remove from city, all operations were conducted within the limits of the liberal domain, and through the intervention of means and servants appurtenant to the long-established and abundant home.

Prominent among the domestics on this plantation was Daddy Jack. A favorite servant, intelligent, obedient, courteous, and with the manners of the old school, he was now verging upon sixty. Among other duties devolved upon him was the general

supervision of the plantation infirmary where
the sick were carefully nursed and supplied
with medicine and suitable food. Acquiring
considerable knowledge in the treatment of
ordinary diseases incident to climate and
exposure, he had become, in the estimation
of his fellow-servants, a famous leech; and
was at all times prepared, with entire self-
possession and dignity, to indulge in blood-
letting, to administer purgatives, prescribe
hot baths, and recommend tonics. A pint
of blood to reduce the pulse, then ten grains
of calomel, followed in the morning by half
a teacup of castor-oil containing three or
four drops of turpentine to impart addi-
tional potency to the dose, and finally snake-
root tea to brace up the halting system, con-
stituted the practice in vogue in cases of
ordinary fever. If this vigorous treatment
failed of the desired effect, a repetition was
generally resolved upon; and so the patient,
sometimes enfeebled to such a degree that
he no longer afforded attractive food for dis-
ease, slowly recovered in spite of this San
Grado regimen. As a supplement to his
professional labors as a physician, Daddy
Jack indulged, in a rude way, in the art of
dentistry. He understood how to cut around

an aching tooth with the same lancet which
he employed in blood-letting from the arm.
He knew how to annihilate an exposed and
throbbing nerve with a ten-penny nail heated
red-hot. With the use of an old-fashioned
extractor, with which to pry out an offend-
ing molar tooth, sometimes even at the
expense of a fractured jaw, he was familiar.
In the absence of a suitable instrument, a
strong twine string, well waxed, sufficed to
pull out an incisor.

On one occasion a strolling Yankee den-
tist visited the neighborhood. For the first
time Jack beheld sundry appliances which
modern ingenuity had devised for the facile
extraction of teeth. In his old methods he
at once lost confidence. Application was
made to his master for the immediate pur-
chase of certain designated lancets, and for
pairs of forceps, both straight and curved.
His wish was gratified, and the plantation
was notified that he now possessed instru-
ments with which teeth might be extracted
readily and with the least amount of pain.
An era of increased practice and of
enlarged professional emolument quickly
dawned. It really appeared as if there was
scarcely a negro upon the plantation who

did not have at least one tooth which " hot um," and which " eh wan Buh Jack fuh pull out fuh um." The old man's services were frequently called into requisition, and his reputation so increased that numbers from adjacent plantations sought and obtained relief at his hands.

One bright spring morning, a stalwart young carpenter, John by name, who had been suffering from a decayed jaw-tooth of huge proportions, presented himself with swollen face and most lugubrious countenance. The customary fee of a quarter of a dollar was paid in advance, and Daddy Jack made ready for the operation. Seating John in a wooden chair in the yard, and with his face turned to the sun so that the old man could " git er fair sight at de teet," Jack proceeded with his lancet to separate the tooth, as far as practicable, from the engorged and circumjacent gum. John squirmed and indulged in heart-rending groans. As the cutting proceeded and the blood trickled from the corners of John's mouth, Jack encouraged his demoralized patient with the injunction : " Tan ter um luk er man, me son. Eh yen gwine hot you much. Eh yen gwine tek long. Me mose done. Me soon git um out."

This preliminary operation concluded, Jack produced his forceps. John, already appalled at the suffering which he had endured, gazed upon the instrument with eyes as big as saucers, and resolutely closed his mouth. To Jack's command that he open it, he responded : " De teet yent duh hot me no mo. I gwine." After much persuasion Jack prevailed upon him to open his mouth and let him " tek de ting out." At length the old man firmly grasped the tooth with the forceps, and began to haul away at it. As he pulled, John commenced to rise from his seat. Jack endeavored, with the left hand, to keep him down, while he tugged lustily at the tooth with his right. All to no purpose. John was quickly upon his feet, and then upon tiptoe, so that Jack could no longer operate to any advantage. It seemed as if for once the sable dentist was to be baffled in his aim. Nothing daunted, however, and muttering imprecations upon his unfortunate victim, he slowly backed across the yard, drawing John after him, — who meanwhile was giving utterance to the most miserable and unearthly sounds from his bloody jaws, and attempting, with uplifted hands, to arrest the traction of the

resolute old man, who refused for an instant
to relax his hold, — until he reached a flight
of steps which led up to the main room of
the smoke-house. Here he hoped to acquire
the advantage which he so much desired.
Ascending backward three of the steps, and
quickly placing his right foot upon John's
shoulder, so as to keep him below and thus
obtain an additional purchase, with one
supreme effort he succeeded in compassing
his purpose. The tooth came out so suddenly
that the old man, losing his balance, fell
heavily against the door of the smoke-house,
while John tumbled in the opposite direction,
yelling with pain, and protesting that " Uncle
Jack done broke eh jaw."

Recovering himself in a trice, and hold-
ing aloft the forceps, which still infolded in
its remorseless fangs the gory molar, with
an indescribable air of commingled dignity,
scorn, and triumph addressing the discom-
fited victim of his professional skill, old
Jack exclaimed : " Haw, Boy! when I graff
my han on er teet, eh bown fuh come, er de
jaw pop, — one er tarruh."

In after years the old man often recurred
with manifest pride and satisfaction to this
incident, and frequently cited this exploit in

confirmation of his boast " dat no nigger
teet ebber yet did git de better er me."

---

## LIX.

### THE NEGRO AND THE ALLIGATOR.

Foremost among the reptiles which ex-
cited the curiosity and aroused the fears of
the Georgia colonists, upon their first ac-
quaintance with them, were the alligators.
Francis Moore, keeper of the stores, describ-
ing them in 1736, says : " They are terri-
ble to look at, stretching open an horrible
large mouth big enough to swallow a Man,
with Rows of dreadful large sharp Teeth,
and Feet like Draggons, armed with great
Claws, and a long Tail which they throw
about with great Strength, and which seems
their best Weapon, for their Claws are
feebly set on, and the Stiffness of their
Necks hinders them from turning nimbly to
bite." In order to dissipate the general ter-
ror which these strange saurians inspired,
Mr. Oglethorpe, having wounded and caught
one of them, caused it to be carried to Sa-
vannah, where he " made the boys bait it

with sticks, and finally pelt and beat it to death."

To the European, newly landed on these shores, the alligator was indeed a novelty, repulsive and provocative of dread. Not so with the negro. His ancestors were well acquainted with the African crocodile, and their descendants, dwelling in this marish region filled with swamps and cypress ponds, and permeated with lagoons, creeks, and rivers — the habitat of this formidable reptile — were from childhood familiar with its roar, and entirely accustomed to its unsightly appearance and habits. Among these sable myth-makers it figured as an important *dramatis persona*. Of the dogs, geese, ducks, and hogs of the plantation hands it was an avowed and a voracious enemy. When skinned and thoroughly boiled, its tail was esteemed by many as a savory article of food. For the cure of rheumatism its oil was held in special repute, and the exuded musk was collected for medicinal uses. Its skin, rudely tanned, entered largely into the composition of home-made pouches and shoes. Whistles and powder-charges were fabricated from the tusks, which also served a good turn for the pickaninnies to rub their swollen gums against, and to cut their first teeth upon. A constant depredator was the alligator upon the fish-traps which guarded the mouths of the short creeks emptying into the rivers. Upon the reflux of the tide, entering the inclosure, this reptile gorged itself upon the fishes there detained, and incurred the wrath of Cuffee, whose frying-pan was thus cheated out of its anticipated evening broil. Hence it came to pass that the alligator was regarded by the negro both as an enemy and as desirable game. During the spring and summer they frequently met, and whenever the former could be taken at a disadvantage its life was forfeit to the opportunity. It was killed in rice-field ditches, in shallow ponds, and occasionally upon land. The hoe, the axe, a fence rail, and the club were the offensive weapons; and loud were the cries and great was the fun while the struggling reptile was being beaten to death. In the back-waters and in swamps where the alligators made their nests, reared their young, and dug their holes, the negroes, during their leisure hours, were fond of capturing them by means of a heavy iron hook fastened to the end of a long, stout pole. This was thrust into the hole where the reptile lay. While snapping at the hook, with its irritating prong, the alligator was in the end securely caught with the barb, and then came the tug of war. It was in no wise an easy operation to draw from its hiding-place one of these reluctant, excited, and revolving monsters. For this purpose the combined strength of several stalwart men barely sufficed. The frolic was joyous, and the exultant shouts of those engaged in the sport awakened strange echoes in the depths of the dank and moss-clad swamps.

If we may credit the text of the "Brevis Narratio" of Le Moyne de Morgues, the Florida Indians were addicted to similar sport, and Plate XXVI may well be claimed in practical illustration of the amusement to which we are now alluding.

During the period of hibernation the negroes often dug these reptiles out of their holes. Sometimes the alligator attained huge proportions, measuring, from the tip of the nose to the end of the tail, fourteen feet. It was fond of a given locality, and exercised exclusive dominion over some favorite bend in the river, some chosen part of a lake, or some attractive pool in the swamp.

The patriarch, with its attendant consort and progeny, there reigned supreme, unless, after severe battle, it was driven away by one more powerful.

In ante-bellum days, when firearms were denied to the negro population, alligators were far more numerous than they are at present. The great demand for their skins which has arisen of late, the use of the rifle in the hands of tourists, and the employment of the shot-gun by the freedmen have united in causing a frightful mortality among these reptiles. Bartram says that when he visited the River St. John the alligators at one point "were in such incredible numbers, and so close together from shore to shore, that it would have been easy to have walked across on their heads, had the animals been harmless."

For the capture of animals drinking at the water's edge, or swimming in lake or river, the tail was employed. A stunning blow having thus been delivered, the victim was caught in the open jaws, and thence transported to the dwelling-place of the reptile, where it was guarded until decomposition had fairly supervened. It was then eaten at leisure and with apparent relish. Sometimes days were allowed to elapse before the slain animal or bird became suitably seasoned for the feast.

While hogs, dogs, calves, sheep, geese, and ducks were often captured by alligators, they seldom attacked human beings. Of mankind they apparently entertained an inborn fear, and would quit the part of the river or lagoon in which men or even boys were swimming. Instances are rare in which human life has been sacrificed to the voracity of these monsters. The writer remembers several occasions, however, on which men and children were attacked by alligators. He will be pardoned for recalling one of them.

Sawney had a wife who resided upon a neighboring plantation. It was his habit to visit his wife every Saturday night, and remain with her until Monday morning. On these journeys he would carry a bag containing provisions and such choice morsels as he had been able, during the week, to accumulate for his better half. Near the negro quarter, where he resided on the home-plantation, was a small creek, in which the tide ebbed and flowed. A large log furnished convenient means for crossing it. On the

night in question, shortly after dark, Sawney
shouldered his well-filled bag and set out for
his wife's house. The tide was flowing into
the creek. Instead of crossing on the log, he
saw fit to descend the gentle bank and wade
through the water. It was not more than
half-leg deep, and the creek was only some
ten yards wide. When he was in the mid-
dle of the stream his attention was attracted
by a movement in the water. Instead of
getting out upon the bank, which he could
readily have done, he paused, and began to
parley with what, in the darkness, he con-
ceived to be a "sperit." "Tan back, Mossa
Sperit, an lemme pass. Tan back, Mossa
Sperit; me do you no harm." In this idiotic
and frightened manner he stood idly talking,
until what proved to be a large alligator ap-
proached and laid violent hold of his right
leg. He was quickly thrown down by the
reptile. In the confusion which ensued, and
amid the struggles and yells of the negro, the
alligator for the moment relaxed its hold, and
was attracted by the fallen bag, which it tore
in pieces. Sawney had so completely lost his
wits, was so terrified, and was suffering so
much pain, that he neglected to improve the
opportunity thus afforded, and betake him-

self to flight. He remained rooted to the spot, howling, praying, and calling for help. Having in a little while disposed of the bag, the alligator renewed its attack upon the frightened negro, threw him down, broke his left arm, and frightfully lacerated it and one of his legs.

The negroes at the quarter hard by, hearing the noise and cries for help, armed with torches, hoes, axes, and billets, rushed to the spot just in time to save the life of the unfortunate man. The alligator was beaten to death. It measured nearly eleven feet, and was very stout. Sawney's wounds proved well-nigh fatal. He was confined to his cabin for quite three months, and, during that time, required and received the careful attention of a competent surgeon.

The lazy way in which the negro was in the habit of fishing, perched upon a tussock, with feet and rod trailing in the water, somnolent and in utter silence, did sometimes invite and receive a flirt from the tail of the reigning alligator, defending its preserves against all poachers.

The old memories are fast drifting away into the shadows, and the modern negro and the alligator of the present are but partial types of things that were.

## LX.

### SPERITS.

Among the negroes of the coast region of Georgia and the Carolinas a belief in the existence of ghosts, " sperits," and superhuman influences was very general. Especially did it obtain among the ordinary field-hands and those least educated. Comparatively few there were who could lift themselves entirely above the superstitious fears born in Africa and perpetuated by tradition in their new home. Memories of Fetichism, of Totemism, and of Anthropomorphism were strangely mingled with the teachings of Christianity, and in their religious exercises the emotional predominated over the intellectual. The potency of charms and philters was freely admitted, and it was necessary to restrain the practice of Fetichism by positive inhibition, or by labored persuasion of its utter absurdity. The fabrication of Fetiches, and their sale to those who desired to utilize the powers of the deities which they were supposed to represent, were monopolized by old women, who derived considerable gain from this calling.

The idea was by such means to conjure the neighbor against whom enmity was cherished, and thus subject him or her to the malign influences of the spirit or demon whose power was supposed to inhere in the evil charm.

The ordinary Fetich consisted of a bunch of rusty nails, bits of red flannel, and pieces of brier-root tied together with a cotton string. A toad's foot, a snake's tooth, a rabbit's tail, or a snail's shell was sometimes added. In price it varied from twenty-five cents to a dollar. To insure the efficacy of the desired spell, it was necessary that the charm should be secretly deposited under the pillow of the party to be affected, placed upon the post of a gate through which he would pass, or buried beneath the doorsteps of his cabin. Once persuaded of the fact that he had been thus conjured, the patient became possessed of superstitious fears, and often complained of bodily "miseries," which apparently defied the power of the healing art, and were wholly dissipated only when some atonement was made for the alleged wrong, or payment offered to have the spell broken through the intervention of the conjurer who had devised it.

In the conduct of plantations, difficulty and annoyance were not infrequently experienced from the interference of these old negro women, — conjurers, — who, in plying their secret trade, gave rise to disturbances and promoted strife and disquietude.

To the apprehension of the common field-hand there was no gainsaying the fact that the spirits of the departed walked the earth and revisited the scenes of their former occupancy. It was not accorded to every one to see and to commune with them. Only those " born with a caul " were capable of doing so. Such were never terrified by these ghostly visitors. By their fellows they were held in special esteem. To this favored class did July belong. I inquired, on one occasion, whether he believed in ghosts and could see spirits. " Yes, Mossa," was his reply, " me kin shum. You know me bin born wid caul. People wuh no bin born wid caul kin yeddy sperit, but dem cant shum. Sperit kin skade um, too, but dem cant skade me. Me kin walk long um der road, talk ter um een de bush, see dem een me bed, and yeddy um een de grabe yad. Me an sperit good fren."

How do they look? " Same luk wen dem

bin libe, ceptin dem look lucker shadder, an
dem walk backwuds, an dem face tun back-
wud, an de heel teh eh foot day way eh toe
orter be. Dem dont tetch de groun wid dem
foot, but dem sorter dis skim pon topper de
grass. Dem so light dem cant mek track."

What garments do they wear? "Same
cloze wuh dem bury een. Way dem gwine
git any mo? De cloze hab eh shape, but
you kin see dey yent nuttne eenside er um."

What do they do? "Nuttne, so fur es
me know, cept walk bout, wisit dem ole
home, an notus wuh duh gwine on sence dem
leff."

Do they ever trouble anybody? "No, me
nebber see dem trubble nobody. Dem wunt
talk ter you. Dem go een gang ob two er
tree, an wander bout tel sich an sich er time,
wen dem haffer go back ter dem grabe. Me
see dem wuk dem mouf same luk dem bin er
talk ter one anurrer, an shake dem head, an
pint dem finger. Dem onderstan one anur-
rer. Me bin question dem mo na once, but
dem nebber will mek answer. Heap er time
me jine compny wid dem der big road, an
try fuh gage dem een conbersation, an fine
out who dem yis, an how dey mek out; but
dem nebber will tell me, an, befo long, look

luk dem git bex, an den dey fade way een de
wood an leff me lone een de road."

Can you recognize them ? " Yes, Mossa,
ef I bin know dem befo dey dead, I kin
know dem now. Me kin see dem dist es
plain es me kin see you now. Only tarruh
night me bin commin from Barnedo planta-
tion. Dest es I cross de causeway an rise
de hill by Shannul ole buryin-groun me see
Miley, — wuh bin dead de year arter free-
dom, — duh lean genst one oak tree sider
de road. Day dis biggin fuh broke. Me
gone up ter um an me try fur pass de time
er day wid um, fuh me yent bin see um
sence dat rainy ebenin wen we bury um in
Shannul. Miley look say eh bin want fuh
ax me someting ; an den, all ob a sutten, eh
check isself, an eh tun roun an mek off fuh de
grabe-yad. Me foller um, an wen eh come
teh eh own grabe eh pit eh head down, an eh
gie two er tree whul, an down eh gone. Me
walk up en sarche de grabe. Me cant fine
out how Miley git een. De grass yent mash.
De groun yent broke ; no hole day : an yet
me see um, wid me own yeye, gone down,
head foremose, een eh grabe.

"Las winter me en George bin er hunt pos-
sum een Jerrido bottom. We bin ketch two

fat possum, an dest befo we mek up we mine fuh go back home we buil one fire fuh wam weself. De night berry cole. Wen we bin er wam we han an we foot roun de fire, yuh come ole Uncle Andrew, wuh nusen ter dribe fur ole Mossa, an ole Uncle Jupiter, wuh bin de gadner, an ole Aunt Peggy. Dem walk up tarrur side de fire an look at we, but dem yent bin crack eh teet ter we. Me see dem plain, en me try fuh pint dem out to George. Him couldnt shum, cause George yent bin born wid caul. De dog nebber notus um. Bimeby George hair biggin fuh rise. George skade, an we leff fuh de nigger house.

"You member Jacob wuh dem bin heng een de Boro? Well, me an Sam meet um one moon-shiny night een de big road, wid de een er de rope tie roun eh neck. Me kin tell you bout heap er people me bin meet an see arter dem done dead an bury. Me shum mose ebry night. Me kin show you some ter-night ef you bin born wid caul. Many time dem people wuh cant see sperit come pon top dem an dunno nuttne bout um. Enty wen you duh walk long de road der night you suttenly feel hot win bresh by you cheek? Enty you sometime smell dead man finger? Enty you yeddy bush crack der wood wen de win yent der blow ? Dem duh sperit, but you no know. Sperit der walk close by you, but you no shum. Me could pint dem out an tell you who dem yiz."

Are you not afraid of these spirits ? "No, Mossa; wuh me gwine fade um fuh ? Dem nuttne cept de shape er people wid de sperit eenside. De bone an meat done leff um. Dem cant hot nobody. Eh breff cant pizen you ; an ef eh did knock at you, eh dis same es ef win try fuh hit you."

Why do they come out of their graves ? "Me dunno, cept dem want fuh see one anurrer, an wisit dem ole home, an look pon topper dem ole fren."

Are they all grown? "No, sir ; you see dem all size, leetle an big, man an ooman, gal an boy, an leely baby. My leely Sue, wuh dead, blan come an play bout de house ebery now an den. One time me try fuh ketch um up in me arm, but me han gone clean tru um dis luk er shadder, an den eh wanish, an me so sorry."

These notions of July may be accepted as typifying the belief on this subject entertained by the great majority of the negroes on the coast. Many went a step further, and invested these ghosts and "sperits" with the ability to intervene in mundane affairs, and to entail harm and misfortune upon those with whom they had not lived amicably while in the flesh. It was the belief of some of the African tribes that the power of a ghost bore some relation to that which the being possessed when alive, and it may be that an inherited thought affords at least a partial explanation of the ideas still entertained by their descendants upon the shores of this New World.

----

## LXI.

### DADDY JUPITER'S VISION.

Dreams are intimately associated with the lower forms of religion. . . . During sleep the spirit seems to desert the body; and as in dreams we visit other localities and even other worlds, living as it were a separate and different life, the two phenomena are not unnaturally regarded as the complements of one another. — SIR JOHN LUBBOCK.

Daddy Jupiter was an old man when I first knew him. In the capacity of a body servant he had accompanied his master during the campaign of 1812–15; and this fact, apart from his excellent character, elevated

him in the esteem of all. For many years
prior to his death he was practically " off
duty," keeping in-doors whenever he did not
feel entirely well, and in pleasant weather
working in the vegetable garden. He was
fond of his chickens and pigs, and culti-
vated on his own account a small patch
where arrowroot, long collards, sugar-cane,
tanniers, ground-nuts, benne, gourds, and
watermelons grew in commingled luxuri-
ance. A widower and without children,
he led, in the main, a retired life; seldom
visiting at the houses of the other negroes
on the plantation, but always chatting pleas-
antly with all who came to see him. At the
" Praise-House " his seat was never vacant
when his health permitted him to be present,
and he filled the office of a " watchman "
upon the plantation. It was the duty of
one occupying that station to advise in spi-
ritual matters, to lead in the semi-weekly
prayer-meetings, to set an example which
others might well follow, and to counsel in
all religious difficulties. Although some-
what quick-tempered, and jealous of that
respect which he deemed his due from
others, he was upright, honest, full of Chris-
tian sentiment, and pronounced in his con-

demnation of everything savoring of evil.
In a word, he was a man of good reputation,
enjoyed the confidence of his fellows, stood
high in his church, and was supposed to be
in special favor with the Lord.

During the winter preceding his death
Jupiter suffered much from rheumatism.
For weeks together he ventured no further
than the door of his cabin, where he would
sit and sun himself and smoke his clay pipe.
A negro lad, Cæsar by name, had been
deputed to cook for him, to wait upon him,
and to minister to his needs.

I called one morning to see the old man,
to inquire after his health, and to ascertain
whether his wants were properly supplied.
For an hour and more he entertained me, as
was his wont, with tales of the olden time,
and was evidently in excellent spirits. As I
was about to depart, Cæsar said : " Mossa,
Uncle Jupter bin hab er wision las night.
Leh him tell you bout um." My curiosity
being excited, I resumed my seat, and in-
quired : " Daddy, is that true ? Have you
had a vision ?" " Yes, me chile," he an-
swered, "me suttenly did hab er wision, an
er berry good one too." " Tell me about it,"
I rejoined. " Well, yeddy me," replied the
old man, and he spoke as follows : —

"Las night, dis befo fus fowl crow, me bin er leddown een me bed. De moon done set. Cæsar, him bin ter sleep by de fire een de tarruh room. Eberyting on de plantation gone bed. Me bin study bout de time wen ole Jupter hab ter meet him Lord and Master, an me berry happy een me bussum. Den me drap ter sleep. How long me bin ter sleep me dunno, but all ob er sutten pear like ebry shingle an boad hab er crack, an de light stream tru, an de room bin bright es day. Wile me duh wonder wudduh dat, four leely angel, wuh dress een wite an hab wing on eh back, fly een de room. Two light topper de foot er de bed, an one on arur side er me. My! but dem bin pooty! Me see heap er pooty wite chillun een me time, but me nebber bin see nuttne teh come up ter dem, nur ter ketch nigh um. Dem look pon topper me so kind, an dey open an shet dem wing, an mek sich a cool breeze een de house. Bimeby me retch out me han fuh tell de one huddy wuh bin tan close me bed on de right side, but eh draw back, an eh say: 'Jupter, we come fuh leh you know de blessed Jesus duh commin fuh cahr you up ter Hebben an show you de seat wuh eh hab ready fur you.' Me dat glad me yent

hab bref fuh mek ansur. Me hard fuh
bleebe me own yez. Me harte rise up een
me troat, an me yent duh say nuttne, but
me duh watch fur de Lord. Soon de blessed
Jesus, wid de print er de nail een eh han
an eh foot, an wid de star on eh head,
drap right down tru de top er de house dout
crack er shingle, an eh call me name, an eh
tell me fuh rise, an eh pit eh han onder me
shoulder, an eh liff me up light es er fedder.
Me ole cloze an me ole body leff behine, an
somehow narruh me sperit, him keep de
shape er de body. Den eh pit eh han onder
me arm, an eh cahr me way up eenter de ele-
ment, beyant de sun an de moon an de star,
an de leely angel duh foller we. We gone
an we gone way up tel we git ter er big
alablaster house, wid high piazza all roun an
roun, wuh shine same luk de sun, buil in de
middle er a beautiful gaden wid flower, an
fruit, an hummin-bud, an butterfly, an angel
wid harp duh sing an duh joy ehself onder
de tree. Dis es we git ter de big gate, wuh
mek wid pearl, eh swing open dout tetch
um, an de blessed Jesus lead dis poor ole
nigger up de shinin pate to de big house
way de Lord lib.

" We gone up de step an enter de pahler,

way de great God bin er set on eh golden
trone. Den de blessed Jesus mek de good
Lord sensible dat dis duh Jupter wuh him
hab sabe, an dat eh fetch um fuh show um
eh seat wuh eh done prepare fur um. Wid
dat de Lord, him call teh one angel, an eh tell
um fuh bring one chair an set um down befo
eh trone. Soon es dis bin done eh say:
'Jupter, yuh you chair; set een um. Eh
blauts ter you.' Mossa, you nebber bin see
sech chair een all you life. Eh hab gold
rocker ter um. Eh hab welwit cushin een
eh bottom. Eh hab high back, an eh arm
stuff. Eh so soffe an easy. Eh look pootier
den dat big rockin chair wuh ole Mossa bin
gib Missy wen eh marry you farruh. Me
shame fuh set een de chair, but de blessed
Jesus, him courage me, an me tek me seat,
an me so tankful dat me hab one chair een
de mansion een de sky.

"Den de blessed Jesus tell anurruh angel
fuh bring me some milk an honey fuh drink.
Eh bring um een a nice glass tumbler, an eh
gen me fuh drink. Me tase um, an eh sweet
mone anyting me ebber drink een me life.
Eh tell me fuh drink um down, an wen me
drink all outer de glass, an me yeye ketch
sight er de bottom er de tumbler, me see

some speck. De ting trouble me, fuh me dunno wuh mek speck day een de bottom er dat clean tumbler. Den de blessed Master notus me, and eh say: 'Dont fret, Jupter; dem speck duh you sin, but now dem all leff behine.'

"All dis time me bin er set wid me face tun way from de Lord an eh trone, cause eh so great an bright me couldnt look pon topper um. Mossa, me cant scribe wuh me see an yeddy een dat Hebben. Eh yent fuh tell. De blessed Jesus tek me tru de gaden, down by de ribber, an een de orchud way de bigges peach, an fig, an orange, an pomegranate, an watermillion, an all kin der fruit der grow. Me see heap er good people wuh me bin know befo eh dead. Ole Mossa, Cappne Maxwell, ole Mr. Ashmore, Buh Jack, Sister Masha, me own Dinah, an mo bin day, an dem all hab harp, an bin der sing, an walk bout, an der pledjur ehself. Dem glad fuh see me too, an gen me de right han er fellership.

"Arter me bin in Hebben good wile, de blessed Master, him say: 'Come, Jupter, I gwine show you way de bad people go.' Den eh lead me down to one bottom wuh dark an kibber wid cloud. In de fur een me see smoke duh rise, an me yeddy people duh cry an duh holler so bad. Wen we git ter dat spot, lo an behole! day was de mouf er Hell. Satan, him bin day wid eh pitchfork, an eh black head wid screech-owl yez, an eh red yeye, an eh claw-han, an eh forky tail. Eh tan right at de mouf er de big hole way de smoke an de fire duh bile out. Fas as de tarruh debble bring sinner ter um, eh push um wid eh pitchfork an eh trow um een de fire. Lord Amighty! Mossa, how dem sinner did kick an holler an try fuh pull way! But twant no use. De minnit ole Satan graff eh claw on um eh gone, an you could yeddy um duh fry een de fire same luk fat een me pan yuh. Me bin rale skade. De ting mek me sick. Me hole on ter me Jesus, an him tell me not teh fade, dat nuttne shill trouble me.

"Dis at dat time me wake. Me hair bin a rise on me head, an wen me come fuh fine out me bin een me own bed, an fowl bin a crow fuh day. Oh, Mossa! dat ting wuh dem call Hell duh a bad place. Me no wan shum no mo, an me yent gwine day nurrer. Enty de blessed Jesus done show me de chair wuh eh done sabe fuh me een Hebben? Yes, Mossa, me seat eh fix, an ole Jupter ready fur go wenebber de Lord call."

He was indeed prepared, and early in the spring we laid him to rest beneath the venerable live-oaks which, with their solemn arms, guarded the plantation burying-ground. Then, not in a vision, but in reality, as we believe, the good old man claimed and was accorded his seat in the " mansion not made with hands, eternal in the Heavens."

# GLOSSARY.

*Abnue*, avenue.
*Āgg*, egg.
*All ob er sutten*, quickly and unexpectedly.
*An*, and.
*Arter*, after.
*Arur*, each, either.
*Ax*, ask.

*Bactize*, baptize.
*Bague*, to beg.
*Barruh*, barrow.
*Beber*, beaver.
*Bedout*, without.
*Ben*, bend, bent, been.
*Berry*, very.
*Bes*, best.
*Bex*, vex, vexed.
*Bidness*, business.
*Biggin*, begin, began.
*Bimeby*, by and by, presently.
*Binner*, was, were.
*Bittle*, victuals.
*Blan*, in the habit of, accustomed to.
*Blanks*, } belongs to.
*Blants*, }
*Bleebe*, believe.
*Bleege*, obliged, compelled.
*Bodder*, to bother.
*Bode*, board, boards.
*Bofe*, both.
*Bole*, bold.
*Boun*, resolved upon, forced to.
*Bredder*, brother.
*Bref*, breath.
*Bres*, breast.
*Bresh*, brush-wood, to brush.
*Broke up*, to leave, to depart.
*Brukwus*, breakfast.
*Buckra*, white man.
*Bud*, bird.

*Budduh*, } brother.
*Buh*, }
*Buhhine*, behind.
*Bun*, burn.
*Buss*, burst, or break through.

*Cahr*, carry.
*Caze*, because.
*Ceive*, deceive.
*Cept*, accept, accepted, except.
*Chillun*, children.
*Chimbly*, chimney.
*Chune*, tune.
*Cist*, insist.
*Clorte*, cloth.
*Cloze*, clothes.
*Cohoot*, bargain, agreement.
*Cole*, cold.
*Conjunct*, agree to, conclude.
*Cote*, court.
*Crack eh teet*, make answer.
*Crap*, crop.
*Crape*, scrape.
*Cratch*, scratch.
*Cut down*, disappointed, chagrined.

*Darter*, daughter.
*Day*, there, is, to be, am.
*Day day*, to be there.
*Den*, then.
*Der*, was, were, into.
*Dest*, } just, only.
*Dist*, }
*Destant*, distant, distance.
*D t*, death.
*Diffunce*, difference.
*Disher*, this.
*Do*, door.
*Dout*, without.
*Drap*, drop, dropped.
*Duh*, was, were.

*Dunno*, don't know.
*Dut*, dirt.

*Edder*, other.
*Eeben*, even.
*Een*, in, end.
*Eenwite*, invite.
*Ef*, if.
*Eh*, he, she, it, his, her, its.
*Element*, the sky, upper air.
*En*, end.
*Enty*, are you not, are they not, do you not, do they not, is it not.

*Faber*, favor.
*Faid*, to be afraid.
*Fambly*, family.
*Fanner*, a shallow basket.
*Farruh,* ⎱ father.
*Farrur,* ⎰
*Feber*, fever.
*Fedder*, feather, feathers.
*Fiel*, field.
*Fine*, supply with food, find.
*Flaber*, flavor.
*Flo*, floor.
*Flut*, flirt.
*Foce*, force.
*Forrud*, forehead.
*Fren*, friend.
*Fros*, frost.
*Fuh*, for.
*Fuh sutten*, for a certainty.
*Fuss*, first.

*Gage*, engage, hire.
*Gedder*, gather, collect.
*Gelt*, to girt.
*Gem*, to give.
*Gen*, gave, again.
*Gie*, give.
*Gimme*, give me.
*Glec*, neglect.
*Glub*, gloves.
*Gooly*, good.
*Graff*, grab.
*Gree*, agree, consent.
*Grine salt*, fly round and round.
*Guine,* ⎱ going, going to.
*Gwine,* ⎰

*Haffer*, have to, had to.
*Hair rise*, badly frightened.
*Haky,* ⎱ hearken to, heed.
*Harky,* ⎰
*Han*, hand.
*Hanker*, long for, desire.

*Hatchich*, hatchet.
*Head*, get the better of.
*Head um*, get ahead of him.
*Hebby*, heavy.
*Holler*, halloo, hollow.
*Hoona*, you.
*Hot*, to hurt.
*Huccum*, how happens it, why, how come.
*Huddy*, how d 'ye do.

*Ile me bade*, grease my mouth.
*Isself*, himself, herself, itself, themselves.

*Jew*, dew.
*Jist*, just.
*Juk*, jerk.

*Ketch*, catch, reach to, approach.
*Kibber*, cover.
*Kine*, kind.
*Knowledge*, acknowledge, admit.

*Labuh*, labor.
*Lass*, to suffice for, to last.
*Lean fuh*, set out for.
*Led-down*, lay down.
*Leek*, to lick with the tongue.
*Leely,* ⎱ little.
*Leetle,* ⎰
*Leff*, to leave, did leave, left.
*Leggo*, to let go.
*Leh*, let.
*Lemme*, let me.
*Lenk*, length.
*Libbin*, living.
*Lick*, to whip, stroke of the whip.
*Lickin*, whipping.
*Lick back*, turn rapidly back.
*Lief*, leave, permission.
*Light on*, to mount.
*Light out*, to start off.
*Long*, with, from.
*Lub*, love.
*Luk,* ⎱ like.
*Lucker,* ⎰

*Mange*, mane.
*Medjuh*, measure.
*Mek*, make, made.
*Mek fuh*, to go to.
*Mek out*, fare, thrive, succeed.
*Member*, to remind.
*Men eh pace*, increase his speed.

*Mine*, mind, heed, take care of.
*Miration*, wonder, astonishment.
*Mo*, more.
*Moöber*, moreover.
*Mona*, } more than.
*Moner*, }
*Mona dat*, more than that.
*Mose*, almost.
*Mossa*, master.
*Mouf*, } mouth.
*Mout*, }
*Murrer*, mother.
*Mussne*, must not.
*Muster*, must have.

*Nabor*, neighbor.
*Narruh*, another.
*Nebber*, never.
*Nekked*, naked.
*Nes*, nest
*New Nigger*, a negro fresh from Africa.
*Nigh*, to draw near to.
*Notus*, notice, observe.
*Noung*, young.
*Nudder*, another.
*Nuff*, enough.
*Nummine*, never mind.
*Nurrer*, neither, another.
*Nuse*, use, employ.
*Nussen*, used to, accustomed to.
*Nuss*, nurse.
*Nuttne*, nothing.

*Obersheer*, overseer.
*Offer*, off of.
*Ole*, old.
*Ooman*, woman, women.
*Out*, to go out, to extinguish.
*Outer*, out of.

*Pahler*, parlor.
*Passon*, parson.
*Pāte*, path.
*Pen pon*, depend upon.
*Perwision*, provisions.
*Pinder*, ground-nuts, peanuts.
*Pint*, direct, directed, point.
*Pintment*, appointment.
*Pit*, put, apply.
*Play possum*, to fool, to practice deceit.
*Pledjuh*, pleasure.
*Po*, poor, pour.
*Pon*, upon.
*Pooty*, pretty.
*Pose*, post.

*Prommus*, promise.
*Pruppus*, on purpose.
*Pusson*, person.

*Quaintun*, acquainted with.
*Quaintunce*, acquaintances.
*Quile*, to coil, coiled.
*Quire*, to inquire, inquired.

*Rale*, very, truly, really.
*Range*, reins.
*Rastle*, to wrestle.
*Retch*, to reach, to arrive at.
*Ribber*, river.
*Riz*, rose.
*Roose*, roost.

*Sabe*, to know.
*San*, sand.
*Sarbis*, service, kindness.
*Satify*, } satisfied, content,
*Saterfy*, } happy.
*Scace*, scarce.
*Schway*, to swear, swore.
*Scuse*, excuse.
*Seaznin*, seasoning.
*Sebbn*, seven.
*Sed*, sit, sat.
*Sed-down*, sit down, sat down.
*Shet*, shut.
*Sho*, sure.
*Sholy*, surely.
*Shum*, to see it, see him, see her, see them.
*Sider*, on the side of.
*Sisso*, says so.
*Skade*, scared.
*Smāte*, smart.
*Sofe*, soft.
*Soon man*, very smart, wide-awake man.
*Sorter*, sort of, after a fashion.
*Sparruh*, sparrow.
*Spec*, expect.
*Spose*, expose.
*Spute*, contest the championship with.
*Stāte*, start, begin.
*Steader*, } instead of.
*Stidder*, }
*Straighten fur*, run rapidly for.
*Stroy*, destroy.
*Sukkle*, circle, fly around.
*Summuch*, so much.
*Sutten*, certain, sudden.
*Suttenly*, certainly, suddenly.
*Swade*, persuade.
*Swode*, sword.

*Tack*, to attack.
*Tackle*, to hold to account.
*Tan*, to stand.
*Tarrify*, to terrify, to annoy.
*Tarruh,* }
*Turruh,* } the other.
*Tase*, to taste, taste.
*Tay*, stay.
*Tek*, take.
*Tek wid um*, pleased with him, her, or it.
*Tek you foot*, to walk.
*Tel*, until.
*Ten*, attend to.
*Tend*, intend.
*Tenk,* }
*Tenky,* } to thank, thanks.
*Ter,* }
*Teh,* } to.
*Tetch*, to touch.
*Tetter*, potatoes.
*Tick*, thick, abundant, a stick.
*Ticket*, thicket.
*Tickler*, particular.
*Tief*, to steal, thief.
*Ting*, thing.
*Tird*, third.
*Titter*, sister.
*Togerruh*, together.
*Tole*, told.
*Topper*, on top of, **on.**
*Tote*, carry.
*Trabble*. travel.
*Tru*, through.
*Truss*, trust.
*Trute*, truth.
*Tuff*, tuft.
*Tuk*, took.
*Tun*, turn, return.
*Tun flour*, to cook hominy.

*Up ter de notch*, in the best style.
*Usen*, to be in the habit of.

*Vise*, to advise.
*Vive*, revive.

*Wan*, to want, to wish, want.
*Warse*, wasp.
*Wase*, waste.
*Way*, where.
*Wayebber*, wherever.
*Whalin ob er*, enormous, severe.
*Wid*, with.
*Wile*, while.
*Win*, wind.
*Wine*, vine.
*Wish de time er day*, to say good-by, how d 'ye do.
*Wud*, word.
*Wudduh dat*, what is that.
*Wuffer*. what for, why, what to.
*Wuh*, what, which, who.
*Wuhebber*, whatever.
*Wuk*, work.
*Wul*, world.
*Wunt*, will not, would not.
*Wurrum*, worms.
*Wus*, worse.
*Wus den nebber*, worse than ever.
*Wut*, worth.

*Yad*, yard.
*Yearin*, hearing.
*Yeddy*, to hear, to hearken, to.
*Yender,* } is not, are not, did
*Yent,* } not, was not, were not.
*Yent day day*, is not there, are not there.
*Yeye*, eye, eyes.
*Yez*, ear, ears.
*Yiz*, am, is, to be, did.
*Yuh*, here.

*Zamine*, examine.

## NUMBERS.

*One*, one.
*Two*, two.
*Tree*, three.
*Fo*, four.
*Fibe*, five.
*Six* six.
*Sebbn*, seven.
*Eight*, eight.
*Nine*, nine.
*Ten*, ten.
*Lebbn*, eleven.

*Twelbe*, twelve.
*Tirteen*, thirteen.
*Foteen*, fourteen.
*Fifteen*, fifteen.
*Sixteen*, sixteen.
*Sebbnteen*, seventeen.
*Eighteen*, eighteen.
*Nineteen*, nineteen.
*Twenty*, twenty.
*Tirty*, thirty.
*Forty*, forty.

*Fifty*, fifty.
*Sixty*, sixty.
*Sebbnty*, seventy.
*Eighty*, eighty.

*Ninety*, ninety.
*One hundud*, one hundred.
*One tousan*, one thousand.

## MONTHS OF THE YEAR.

*Jinnywerry*, January.
*Febbywerry*, February.
*Mäche*, March.
*Aprul*, April.
*May*, May.
*June*, June.

*Jully*, July.
*Augus*, August.
*Sectember*, September.
*October*, October.
*Nowember*, November.
*December*, December.

## DAYS OF THE WEEK.

*Mundy*, Monday.
*Chuseday*, Tuesday.
*Wensday*, Wednesday.
*Tursday*, Thursday.

*Friday*, Friday.
*Sattyday*, Saturday.
*Sunday*, Sunday.